© De esta edición: 2009
Santillana Ediciones Generales, S.L.
Torrelaguna 60. 28043 Madrid.
Teléfono 91 744 90 60
www.elpaisaguilar.es

Segunda edición, julio 2009

Coordinación editorial: Carmen G. Barragán
Diseño de cubierta e interiores: M. Mercedes Sánchez
Textos: Laura Vidal
Ilustración de cubierta: Ximena Maier
Fotografía de cubierta: José Mª Dalmau/Iberimage

ISBN: 978-84-03-50887-3
Depósito legal: M-27.916-2009
Printed in Spain – Impreso en España
por Anzos, S. L., Fuenlabrada (Madrid)

CONTENIDOS

5

Esta guía contiene todo lo que se necesita para **desenvolverse en inglés** durante el viaje en esas circunstancias en las que no se necesita decir demasiado, sino decir lo que importa. Facilita aquellas **frases imprescindibles** (con su correspondiente pronunciación) que permitirán al viajero comunicarse en situaciones habituales y, además, recibir el aprecio de las personas que valorarán su esfuerzo por expresarse en un idioma que ellas dominan.

El libro empieza con una guía sucinta a la **pronunciación** inglesa, un **resumen gramatical** y un breve **manual de inglés básico.** Les siguen distintos bloques temáticos pensados para resolver distintas situaciones según avanza el viaje: **llegada al país** de destino, **desplazamientos, alojamiento, restaurantes, ocio o compras.** Cada una de las secciones incluye una lista de **vocabulario** imprescindible y expresiones habituales, las palabras y frases básicas para cruzar una aduana, tomar o alquilar un medio de transporte o realizar un cambio de moneda. *Inglés para viajar* también tiene en cuenta las circunstancias adversas que pudieran presentarse; por esa razón se han incorporado dos capítulos para cuando es necesario recurrir a un **servicio de salud** o se presenta cualquier situación de **emergencia.** Para hacer el viaje más placentero, las frases y palabras en español y su correspondencia en inglés servirán para estimular la capacidad de improvisación del viajero y hacerle capaz de sorprender a su interlocutor hablando en su idioma.

La guía concluye con un **minidiccionario español-inglés** con vocabulario que aparece en la guía además de otras palabras de uso habitual en la comunicación diaria.

Enjoy your trip!

GUÍA DE PRONUNCIACIÓN

El alfabeto inglés consta de 26 letras, que sirven para representar entre 42 y 48 sonidos distintos, dependiendo de la región en que se hable. La variedad de sonidos vocálicos en inglés es considerablemente mayor que en castellano, una misma vocal puede tener variantes breve y larga –una distinción que puede resultar de gran importancia a la hora de hacerse entender– y una misma grafía vocálica puede corresponder a sonidos diferentes. Así, por ejemplo, la grafía **a** tiene sonido de "a" breve en **hat** *(jat)*, de "a" larga en **father** *(fáade)* y de "ei" en **late** *(leit)*.

Asimismo hay sonidos consonánticos que, por no existir en castellano, pueden resultar de especial dificultad para los castellanohablantes. Es el caso del sonido representado por la grafía **j** de **jeans** *(yins)*, que no equivale exactamente a nuestra "y", sino que se encuentra a medio camino entre ésta y la "ch", o de la "h" sonora de **house** *(jáus)*, un sonido parecido a nuestra "j" pero notablemente más suave y aspirado.

En inglés además, los diptongos y triptongos no corresponden siempre a la combinación de dos o tres vocales gráficas. Por ejemplo, en la palabra **ice** *(áis)*, la vocal **i** representa el diptongo **ai.**

Por último, en inglés británico la **r** a final de palabra no se pronuncia, a no ser que venga seguida de una palabra que empiece por vocal:

a car	*a cáa*	**un coche**
pero, **the car is here**	*de car is jía*	**el coche está aquí**

En inglés americano, sin embargo, la "r" se pronuncia en todos los casos. Lamentablemente, no hay unas reglas infalibles que se puedan aplicar para lograr una acertada pronunciación inglesa; las excepciones son innumerables y en muchos casos la pronunciación de una palabra viene marcada por su etimología. La ortografía del inglés no se basa, como la del castellano, en la idea de correspondencia entre sonido y letra, de manera que, en la mayoría de los casos, no queda más remedio que aprender por separado cómo se escribe una palabra y cómo se pronuncia. Por este motivo es una de las grandes dificultades en la adquisición de la lengua inglesa, incluso para los hablantes nativos, y continuo objeto de debate, pues no son pocos quienes abogan por su simplificación. Además la pronunciación varía significativamente en función de las regiones y los países de habla inglesa.

En este manual, sin embargo, se ha tratado de ofrecer al viajero una transcripción aproximada de la pronunciación más empleada en Gran Bretaña y que le ayudará a lograr una comunicación efectiva. Para conseguirlo, se recomienda prestar atención a las sílabas acentuadas y tratar de pronunciar las palabras de un tirón, evitando las pausas y dilaciones intersilábicas.

Aunque no siempre, en palabras de uso frecuente como "por favor" **(please),** se ha tratado de reflejar que incluye un sonido largo. Para ello se ha acentuado la primera **i** y se ha añadido una segunda para recordar al usuario su duración: *plíis*. De nuevo, es conveniente tratar de pronunciar la palabra de un tirón, evitando separar las sílabas y segmentarla.

Los ejemplos incluidos a continuación para que sirvan de guía al viajero siguen la pronunciación británica. En su gran mayoría se trata de palabras de uso muy frecuente que aparecen en los distintos capítulos de este manual.

■ VOCALES ■

Aunque el alfabeto fonético inglés reconoce hasta 12 sonidos vocálicos distintos, aquí se incluyen únicamente los más cercanos al castellano y que bastarán al viajero para cubrir sus necesidades de comunicación más elementales.

a Suena como la "a" castellana de "casa" en palabras como **hat** (*jat*) o **after** (*áfte*).

a Equivale al diptongo **ei** en palabras como **table** *(téibol)*, **baby** *(béibi)*.

Equivale más o menos al diptongo **ea** en palabras como **air** *(éa)* o **dare** *(déa)*.

Está cerca de la "o" castellana en palabras como **walk** *(uók)*.

e Se pronuncia como la "e" castellana de "ven" en palabras como **red** *(red)*, **ten** *(ten)*.

Suena como una "i" castellana antes de consonante: **before** *(bi-fóo)* o, cuando es doble: **three** *(zríi)*.

Se pronuncia "íe" en **here** *(jíe)* e "iu" en **newspaper** *(niúspeipe)*.

Suele ser muda cuando va a final de palabra: **love** *(laf)*, **have** *(jaf)*, **suitcase** *(sútkeis)*.

i Se parece a la "i" castellana en palabras como **fish** *(fish)* o **chips** *(chips)*.

Se parece a la "e" castellana en **first** *(ferst)*, **third** *(zerd)*.

Se pronuncia "ai" en palabras como **like** *(láik)*, **arrive** *(aráif)*, **bike** *(báik)*.

o Equivale a la "o" castellana en **hot** *(jot)*, **not** *(not)*.

Se pronuncia como la "u" castellana en palabras como **do** *(du)*, **who** *(ju)* y cuando es doble: **book** *(buk)*, **too** *(túu)*, aunque hay excepciones, como en **door** *(dóo)*, **floor** *(flóo)*.

En **women** (plural de **woman**, *wúman*) se pronuncia como una "i": *wimen*.

9

u Es similar a la "u" castellana en **pull** *(pul)*, **put** *(put)*.

Se pronuncia como la "a" castellana en vocablos como **but** *(bat)*, **much** *(mach)*.

■ DIPTONGOS ■

Los diptongos ingleses que se relacionan a continuación son fonéticos; es decir, sonidos que no se corresponden necesariamente con grafías de diptongo, como ocurre en castellano. Aunque en total son 8, los principales y que más utilizará el viajero son:

ei Puede tener la grafía "a", como en **take** *(téik)*, o "ai", en **wait** *(uéit)*.

ai Puede adoptar las grafías "i" en **inside** *(insáid)* o **flight** *(fláit)* e "y" en **why** *(uái)*.

oi Grafías "oy" en **boy** *(bói)* y "oi" en **boil** *(bóil)*.

ou Suele corresponder a la grafía "o": **no** *(nóu)*, **open** *(óupen)*.

au Puede tener la grafía "ou", **house** *(jáus)*, y también "ow", **now** *(náu)*.

ie Grafías "e", **here** *(jíe)*, y "ea" **near** *(níe)*.

■ CONSONANTES ■

Aunque hay un total de 24 sonidos consonánticos, a continuación se detallan los que necesitará el viajero para su comunicación diaria.

b Es similar a la castellana en **boat** *(bóut)* o **cabbage** *(cábech)*. Es muda en algunas palabras, como cuando va delante de "t", **debt** *(det)*, **doubt** *(dáut)*, o en palabras como **bomb** *(bom)* o **thumb** *(zám)*.

C Se pronuncia como la "c" castellana en **cup** (cap), **cat** (cat), **complaint** (compléint). Se pronuncia como la "s" castellana en **city** (síti) o **circus** (sérkes).

ch Es igual que en la "ch" castellana en **chair** (chée) o **cheque** (chek).

Se pronuncia "k" en **Christmas** (krísmas) o **chemist's** (kémists).

d Es como la "d" castellana: **drink** (drink), **danger** (déinye).

f Similar a nuestra "f" en **flower** (fláue), **film** (film).

g Equivale a nuestras "g" o "gu" en **get** (guet), **go** (góu), **garden** (gárden).

Tiene un sonido cercano a nuestra "y" en **gentleman** (yéntelman) o **gin** (yin).

Casi no se pronuncia a final de palabra cuando va después de "n": **morning** (mórnin), **king** (kin).

h Puede ser muda, como en castellano, en **hour** (áue), **honesty** (ónesti).

Cuando es sonora debe pronunciarse como nuestra "j", pero mucho más suave y aspirada: **have** (jav), **hello** (jelóu).

j Se pronuncia más o menos como nuestra "i" en **January** (iánuari) y como la "y" en **journey** (yérni) o **jacket** (yáket).

k Se pronuncia como la k castellana en palabras como **king** (kin) o **key** (kíi), pero es muda en otras como en **knee** (níi) o **knife** (náif).

l

Es muda en palabras como **half** *(jaf)* o **walk** *(uók)*.

En el resto de los casos, sea o no doble, **traveller** *(trábele)* y **sell** *(sel)*, equivale a la "l" castellana.

m Tenga o no doble grafía, equivale a la "m" castellana: **money** *(máni)*, **swimming-pool** *(súimin-pul)*.

n Tenga o no doble grafía, equivale a la "n" castellana: **monument** *(móniument)*, **tennis** *(ténis)*.

p Tenga o no doble grafía, equivale a la "p" castellana: **people** *(pí-pol)*, **pepper** *(pépa)*.

q Seguida de "u", equivaldría a nuestra "cu": **quiet** *(cúaiet)*, **queen** *(cuín)*.

Cuando forma grupo consonántico con "c", como en **racquet** *(ráket)*, o con "k", **pocket** *(póket)*, se pronuncia como nuestra "k".

r Nunca es fuerte, como en "ratón" o "carro", sino débil, como en "claro" o "para". Ejemplos: **rain** *(réin)*, **carrot** *(cárot)*.

En inglés británico la "r" final no se pronuncia, o es prácticamente imperceptible –**Peter** *(píta)*, **tower** *(táue)*–, a no ser que esté seguida de una palabra que empieza por vocal.

En inglés americano, en cambio, la "r" se pronuncia siempre.

s Puede ser muda, como en **aisle** *(áil)*, o sonora, como en **Sunday** *(sándei)*.

Cuando forma grupo consonántico con la "h" se pronuncia como en la palabra de origen japonés "sushi", es decir mucho más suave que nuestra "ch": **shoe** *(shu)*, **cash** *(cash)*.

t Similar a nuestra "t": **heat** *(jit)*, aunque algo aspirada cuando va a principio de palabra, **time** *(táim)*.

El grupo th puede equivaler a nuestra "d", **the** *(de)*, **there** *(dée)*, o a nuestra "z", **theatre** *(zíete)*, **thousand** *(záusend)*.

v El inglés sí establece diferencias de pronunciación entre "b" y "v", y esta última tiene un sonido vibrante y más fuerte, a medio camino entre nuestra "b" y nuestra "f": **very** *(véri)*, **veterinary** *(vétrenri)*. Seguida de "e" al final de palabra se pronuncia como una "f": **have** *(jaf)*.

w Se pronuncia como "u" en **window** *(uíndou)*, **wallet** *(uálet)*. Se pronuncia como la "w" en el nombre propio Wendy, en palabras como **wood** *(wud)*.

x Equivale a nuestra "x" en **taxi** *(táxi)* o **relax** *(riláx)*.

y Puede tener sonido consonántico, **yellow** *(yélou)*, **yatch** *(yat)* o vocálico, **lovely** *(láfli)*, **cherry** *(chéri)*. En ambos casos tiene una pronunciación similar a una "i" castellana.

z Se pronuncia parecida a nuestra "s", pero más vibrante: **zoo** *(súu)*, **zebra** *(síbra)*.

■ SÍLABAS TÓNICAS Y ÁTONAS ■

En palabras de más de una sílaba siempre habrá una tónica, es decir, acentuada. Es la sílaba donde recae el acento principal de la palabra y que en las transcripciones de este manual viene señalada con una tilde ortográfica. Así por ejemplo, la palabra **intelligent** se transcribe *intéliyent,* con un acento en la **e** para indicar que el golpe de voz recae en la segunda sílaba.

En palabras largas suele haber además un acento secundario, que en las transcripciones de este manual no figura, para no complicar demasiado al lector. Lo más importante a la hora de pronunciar es reconocer el acento principal de una palabra y marcarlo correctamente al decirla. De lo contrario es muy posible que a nuestro interlocutor le resulte difícil entendernos.

Por último, en inglés hay palabras de ortografía muy similar que significan cosas distintas según la sílaba en que recaiga el acento. Es el caso de **desert** (*désert*) y **dessert** (*desért*). La primera significa "desierto"; la segunda, "postre".

■ ENTONACIÓN ■

En inglés, igual que las palabras tienen sílabas tónicas y átonas, dentro de una frase o segmento de discurso hay palabras que van "acentuadas" y otras que no. Cuando esto sucede las vocales de las sílabas átonas tienden a acortarse sistemáticamente (son los sonidos vocálicos breves a los que se alude al principio). Además, el tono de voz tiende a ascender, caer o permanecer invariable según los tipos de frases y oraciones.

En líneas muy generales, podemos decir que en inglés las oraciones interrogativas y exclamativas tienen una entonación ascendente, mientras que oraciones afirmativas y negativas tienen una entonación descendente. El acento principal de la oración (es decir, la parte de la oración que se pronuncia con mayor intensidad) suele recaer en la palabra que concentra el sentido de lo que se quiere decir, por lo común un sustantivo, un adjetivo o un verbo.

Puede decirse que la entonación es "la música de una lengua". Puesto que el castellano es un idioma más bien monótono en este sentido, dar la entonación correcta a las frases en inglés puede suponer una dificultad adicional para quien lo practica, teniendo en cuenta además que, en dicho idioma, una entonación plana suele ser indicativa de aburrimiento o incluso de sarcasmo.

MINIGRAMÁTICA

■ PRONOMBRES PERSONALES ■

A diferencia del español, los pronombres personales no deben omitirse nunca en inglés, pues en muchos casos son el indicador del género y el número del sustantivo al que sustituyen. La primera persona del singular se escribe siempre en mayúscula: **I** *(ái)*. Además no hay distinción entre tú y usted, en ambos casos se emplea **you** *(yu)*.

Los pronombres en inglés tienen 3 casos gramaticales: sujeto, complemento y caso reflexivo, que varían según las personas y según sean singular o plural, masculino o femenino.

■ PRONOMBRES PERSONALES (SUJETO) ■

I	*ái*	yo
you	*yu*	tú
he	*ji*	él
she	*shi*	ella
it	*it*	ello (género neutro)
we	*uí*	nosotros/as
you	*yu*	vosotros/as
they	*déi*	ellos/ellas

■ PRONOMBRES PERSONALES (COMPLEMENTO) ■

me	*mi*	a mí, me
you	*yu*	a ti, te
him	*jim*	a él, lo, le
her	*jée*	a ella, la, lo
it	*it*	a ello, lo, le

15

us	*as*	a nosotros/as, nos
you	*yu*	a vosotros/as, os
them	*dem*	a ellos/ellas, los, les, las

Nota: no varían morfológicamente según sean complemento directo, indirecto o preposicional.

■ PRONOMBRES REFLEXIVOS ■

myself	*maisélf*	me
yourself	*yorsélf*	te
himself	*jimsélf*	se
herself	*jersélf*	se
itself	*itsélf*	se
ourselves	*auersélfs*	nos
yourselves	*yorsélfs*	os
themselves	*demsélfs*	se

■ DETERMINANTES POSESIVOS ■

Se utilizan en masculino, femenino o neutro, plural o singular en función del género de lo poseído. Es decir, "sus gafas" (de ella) sería **her glasses** *(jée gláses),* pero "su coche" (de él) sería **his car** *(jis car)* y "el restaurante de un hotel" sería **its restaurant** *(its réstorant).*

my	*mái*	mi, mis
your	*yor*	tu, tus
his	*jis*	su, sus
her	*jée*	su, sus
its	*its*	su, sus
our	*áue*	nuestro/a, nuestros/as

| your | *yor* | vuestro/a, vuestros/as |
| their | *dée* | su, sus |

■ DETERMINANTES DEMOSTRATIVOS ■

A diferencia del castellano, en inglés los determinantes demostrativos no hacen distinción de género, únicamente entre singular y plural. De hecho, son los únicos determinantes en los que se da esta concordancia. **This,** en singular y **these** en plural indican cercanía respecto a quien los emplea. Por el contrario **that,** para el singular y **those,** para el plural, expresan lejanía.

this	*dis*	este/a
these	*díis*	estos/as
that	*dat*	ese/a, aquel/aquella
those	*dóus*	esos/as, aquellos/aquellas

Al igual que en castellano, los determinantes demostrativos pueden tener función pronominal; es decir, pueden sustituir al sustantivo. Ejemplos:

| this is my hotel | *dis is mái jóutel* | éste es mi hotel |
| those are my suitcases | *dóus ar mái sútkeises* | ésas/aquéllas son mis maletas |

■ EL ARTÍCULO ■

Los artículos en inglés no concuerdan ni en género ni en número con el sustantivo al que preceden y son: **the** (el, la, los, las), **a** y **an** (un, una). **The** es el artículo definido y se usa delante de sustantivos en singular y en plural, masculinos o femeninos. Delante de consonante se pronuncia *de* y delante de vocal se pronuncia *dí*.

SINGULAR	PLURAL
the boy *(de bói)*	the boys *(de bóis)*
the taxi *(de táxi)*	the taxis *(de táxis)*
the newspaper *(de niúspeipe)*	the newspapers *(de niúspeipers)*
the apple *(de ápel)*	the apples *(di ápels)*
the hour *(di áue)*	the hours *(di áuers)*

El artículo determinado **(the)** en plural se emplea menos que en español, y no se usa delante de sustantivos en plural cuando están sin determinar. Así, por ejemplo, la frase "soy alérgico a las fresas" se diría en inglés: **I'm allergic to strawberries.**

A (o **an**, si el sustantivo empieza por vocal o "h" muda) es el artículo indefinido. Se emplea cuando el sustantivo es singular, independientemente del género:

a horse *(a hóos)*	an apple *(an ápel)*	an hour *(an áue)*

■ EL SUSTANTIVO

Los sustantivos en inglés se reconocen porque normalmente van precedidos de los determinantes: **the**, **a** o **an.**

GÉNERO DEL SUSTANTIVO

Los sustantivos en inglés pueden ser **masculinos, femeninos** o **neutros.** La distinción entre masculino y femenino viene motivada por el género al que hacen referencia:

man	*man*	hombre
woman	*wúman*	mujer

| boy | *bói* | niño/chico |
| girl | *gerl* | niña/chica |

El **género neutro,** que no existe propiamente dicho en español, se utiliza para referirse a cosas y animales principalmente:

| car | *cáa* | coche |
| cat | *cat* | gato |

Hay algunos aspectos a tener en cuenta:
- las mascotas a menudo son masculinas o femeninas; es decir, se utilizan los pronombres personales **he** o **she** para referirse a ellas, especialmente por sus dueños.
- también es frecuente usar el femenino para coches, barcos y aeroplanos
- los países son normalmente femeninos
- los bebés son normalmente **it.**

Además hay sustantivos que se aplican tanto al masculino como al femenino. Ejemplos:

| parent | *pérent* | padre/madre |
| cousin | *cásen* | primo/prima |

La formación en femenino en inglés se hace:
- añadiendo el sufijo **–ess: actor - actress** (*ákto - áktres*), **waiter - waitress** (*uéite-uéitres*), **host - hostess** (*jóust - jóustes*)
- anteponiendo el adjetivo **male** (*méil*) o **female** (*fímeil*), que significan "macho" y "hembra" respectivamente, al nombre: **male teacher** (*méil tíche*, profesor) o **female teacher** (*fímeil tíche*, profesora).

- con una palabra distinta: **man** *(man)* - **woman** *(wúman)*, **bride** *(bráid, novia)* - **bridegroom** *(bráidgrum, novio)*
- con los pronombres personales de sujeto **he** *(hi)* y **she** *(shi)*.

NÚMERO DEL SUSTANTIVO

Hay algunas palabras, como **spaghetti** *(spaguéti)* o **luggage** *(láguech)* que, aunque tienen significado de plural (espaguetis, muebles) son singulares (incontables) en inglés. Por eso el verbo que las acompaña debe ir en singular:

> the spaguetti is ready   *de spaguéti is rédi*
>   los espaguetis están listos
> my luggage has been lost   *mai láguech jas bin lost*
>   me han perdido el equipaje

Asimismo hay sustantivos que tienen significado plural aunque no adopten ninguna de sus terminaciones: **people** *(pípel)*, **pólice** *(polís)*. Ambos deben llevar siempre el verbo en plural:

> people are having fun   *pípol ar jávin fan*
>   la gente se divierte
> the police are searching for my car   *de polís ar sérchin fóo*
>   la policía está buscando mi coche   *mái cáa*

Por lo demás, el plural de los sustantivos en inglés se forma añadiendo una **–s** al singular:

> hotel - hotels *(joutél - joutéls)*
> stamp - stamps *(stamp - stamps)*
> boat - boats *(bóut - bóuts)*

En los sustantivos terminados en **s, ss, sh, ch, x** y **z** se añade **–es:**

asparragus - asparraguses *(aspárragues - aspárragueses)*
boss - bosses *(bos - bóses)*
fish - fishes *(fish - físhes)*
sandwich - sandwiches *(sándwich - sándwiches)*
box - boxes *(box - bóxes)*

Muchos sustantivos terminados en vocal también forman el plural con **–es:**

tomato - tomatoes *(toméito - toméitos)*
potato - potatoes *(potéito - potéitos)*
mosquito - mosquitoes *(moskítou - moskítous)*

PLURALES IRREGULARES
Algunos sustantivos tienen idéntica forma para singular y plural:

sheep - sheep *(shíip - shíip)*
fish - fish *(fish - fish)*
salmon - salmon *(sámon - sámon)*
aircraft - aircraft *(ércraft - ércraft)*

Otros cambian ligeramente al pasar a plural:

woman - women *(wuman - uimen)*
child - children *(cháild - chíldren)*
tooth - teeth *(tuz - tíiz)*
foot - feet *(fut - fíit)*
penny - pence *(péni - pens)*

No existen reglas exactas para estos plurales irregulares y por tanto no hay más remedio que memorizarlos si se quiere utilizarlos correctamente.

Por último, hay sustantivos terminados en **–s** que son singulares y por tanto deben llevar un verbo en singular:

politics is complicated   *pólitiks is cómplikeited*
  la política es complicada
I don't like mathematics   *ái dóunt láik mázmatics*
  no me gustan las matemáticas

■ EL GENITIVO SAJÓN ■

El caso gramatical posesivo o genitivo se emplea para expresar una relación de propiedad o posesión. En inglés este caso se forma de dos maneras:

Mediante la preposición **of** *(of,* de), que se utiliza normalmente cuando el poseedor es un ente inanimado.
Así, "el nombre de la calle" se diría en inglés **the name of the street** *(de néim of de strit)* y "el fondo del vaso" **the bottom of the glass** *(de bótom of de glas).*

Cuando el poseedor es un ente animado se emplea una forma conocida como genitivo sajón *(saxon genitive o 's genitive),* que recibe su nombre de su origen histórico. En el genitivo sajón se añaden un apóstrofo y una "s" **('s)** al poseedor.

De este modo, "el coche de mi hermano" sería **my brother's car** *(mái bróders cáa)* y "el nombre del perro", **the dog's name** *(de dogs néim)*
El genitivo sajón también puede emplearse con nombres de países, ciertas expresiones de tiempo, espacio, distancia, peso, etcétera:

London's history	*lóndons jístori*	la historia de Londres
yesterday's meetIng	*yesterdéis mítin*	la reunión de ayer
five minutes' rest	*fáif mínits rest*	descanso de cinco minutos

Si el poseedor está en plural y éste es regular, el genitivo sajón se forma sin la "s", únicamente con el apóstrofo:

| my parents' house | *mái pérents jaús* | la casa de mis padres |

Si se trata de un plural irregular, el genitivo se forma normalmente:

| the children's books | *de chíldrens buks* | los libros de los niños |

Por último, en sustantivos terminados en "s" se añade sólo el apóstrofo:

| James's car | *yéimses cáa* | el coche de James |

■ EL ADJETIVO ■

El adjetivo calificativo suele ir delante del sustantivo al que acompaña y no concuerda con él ni en género ni en número, pues es invariable. En inglés siempre van en mayúsculas los adjetivos que indican nacionalidad, los meses del año y los días de la semana.

my new car	*mái niú cáa*	mi coche nuevo
your old shoes	*yor óuld shus*	tus zapatos viejos
I am Spanish	*ái am spánish*	soy español/a
today is Wednesday	*tudéi is uénsdei*	hoy es miércoles

23

COMPARATIVOS Y SUPERLATIVOS

En la mayoría de los casos el comparativo de superioridad se forma
añadiendo **-er** a la forma absoluta y el superlativo añadiendo **–est**:

ABSOLUTO	COMPARATIVO	SUPERLATIVO
dark *(dark)*	darker *(dárke)*	darkest *(dárkest)*
old *(óuld)*	older *(óulde)*	oldest *(óuldest)*
cheap *(chíip)*	cheaper *(chípe)*	cheapest *(chípest)*
fast *(fast)*	faster *(fáste)*	fastest *(fástest)*
early *(érli)*	earlier *(érlie)*	earliest *(érliest)*

Ejemplo:

my son is older than yours	mi hijo es mayor que el tuyo
mái son is óulde dan yors	

Sin embargo, un buen número de adjetivos de uso común son irregulares:

ABSOLUTO	COMPARATIVO	SUPERLATIVO
good *(gud)*	better *(béta)*	best *(best)*
bad *(bad)*	worse *(uers)*	worst *(uerst)*
far *(fáa)*	further/farther	furthest/farthest
	(férde/fárde)	*(férdest/fárdest)*

Ejemplo:

this is the worst hotel I have ever been to
dis is de uerst jóutel ái jaf éve bin tu
es el peor hotel en el que he estado

Por último, algunos adjetivos forman el comparativo y el superlativo con los determinantes **more** (más) y **the most** (el/la/lo más).

ABSOLUTO	COMPARATIVO	SUPERLATIVO
important	more important	the most important
(impórtant)	*(móo impórtant)*	*(de móust impórtant)*
intelligent	more intelligent	the most intelligent
(intéliyent)	*(móo intéliyent)*	*(de móust intéliyent)*
expensive	more expensive	the most expensive
(expénsif)	*(mor expénsif)*	*(de móust expénsif)*

El comparativo de inferioridad se forma con **less:**

less expensive	*les expénsif*	menos caro

y el superlativo de inferioridad con the **least:**

the least expensive	*de list expénsif*	el menos caro

■ ADVERBIOS Y PRONOMBRES INTERROGATIVOS

Esta subclase de palabras es importante, pues con ellos se forman algunas de las preguntas básicas de la comunicación diaria. Son:

who?	*ju?*	¿quién?
when?	*uen?*	¿cuándo?
where?	*uée?*	¿dónde?
what?	*uát?*	¿qué?
which?	*uich?*	¿cuál?
how?	*jáu?*	¿cómo?

Ejemplos:

who's calling?	*jus cólin?*
¿quién llama? (al teléfono)	
when does the plane leave?	*uén das de pléin líif?*
¿a qué hora sale el avión?	
where is the bus stop?	*uér is de bas stop?*
¿dónde está la parada del autobús?	
what is your name?	*uát is yor néim?*
¿cómo se llama usted/cómo te llamas?	
which bus do I take?	*uich bas du ái téik?*
¿qué autobús debo coger?	
how do you do?	*jáu du yu du?*
¿cómo está usted?	

■ CANTIDADES INDEFINIDAS ■

Hay una serie de determinantes que se emplean para expresar cantidades indefinidas (algunos, un poco, varios, mucho...). Los más comunes son:

a lot	*a lot*	mucho, muchos/as
enough	*ináf*	bastante, suficiente
few/a few	*fiú/a fiú*	pocos/as, unos/as pocos/as
little/a little	*lítel/a lítel*	poco/un poco
many	*méni*	muchos/as
much	*mach*	mucho
several	*séveral*	varios/as
some	*sam*	algo, algunos/as

Few, a few y **many** se emplean con sustantivos contables, como **car, friend, house...** Ejemplo:

| a few coins | *a fiú cóins* | unas pocas monedas |

Little, a little y **much** se emplean con sustantivos incontables; es decir, que no se pueden contar, como **money, milk, time...** Ejemplos:

how much money have you got?	*jáu mach máni jaf yu got?*
¿cuánto dinero tienes?	
I'll have a little milk, please	*áil jaf a lítel milk, plíis*
tomaré un poco de leche, por favor	

■ CONJUNCIONES ■

Las conjunciones (palabras que sirven para unir vocablos o partes de la oración) más utilizadas en inglés son:

and	*and*	y/e
but	*bat*	pero
or	*or*	o/u

Ejemplos de uso:

I like football and tennis	*ái láik fútbol and ténis*
me gustan el fútbol y el tenis	
I can play tennis, but not very well	*ái kan plei ténis, bat not*
sé jugar al tenis, pero no muy bien	*beri uel*
would you like tea or coffee?	*wud yu láik tíi or cófi?*
¿quieres/e té o café?	

Otras conjunciones comunes, en este caso subordinadas, son:

also	*ólsou*	también
because	*bicós*	porque
if	*if*	si
while	*uáil*	mientras
however	*jauéve*	no obstante
yet	*iet*	sin embargo
therefore	*dérfoo*	por lo tanto

Ejemplos:

I love coffee but I also like tea
ái laf cófi bat ái ólsou láik tíi
me encanta el café pero también me gusta el té
I'll go if you go
áil góu if yu góu
iré si tú también vas

PREPOSICIONES

Las preposiciones son quizá una de las grandes dificultades del inglés, pues no es fácil emplearlas correctamente (la preposición **at,** por ejemplo, tiene hasta 17 usos distintos si se consulta un diccionario) y en muchos casos la traducción directa del español no sirve. Además, hay determinadas palabras y expresiones que no están completas o cambian de significado según vayan o no acompañadas de una preposición determinada, y éstas forman parte de las formaciones llamadas *phrasal verbs* o verbos con partícula, de uso muy frecuente. Ejemplo: **look at** significa "mirar (a)", **look into** "investigar" y **look for** "buscar". No existen demasiadas reglas para el uso adecuado de las preposiciones, por lo que se debe aprender cada expresión separadamente.

Preposiciones más comunes:

above	*abáf*	por encima de, sobre
across	*acrós*	al otro lado de
against	*agénst*	contra
behind	*bijáind*	detrás, detrás de
below	*bilóu*	bajo, por debajo de
beside	*bisáid*	junto a, al lado de
between/among	*bituín/amón*	entre
beyond	*biyónd*	más allá de
by	*bái*	por, de
during	*diúrin*	durante
except	*exépt*	excepto
for	*fóo*	para
from/since	*from/sins*	desde
in/on/at	*in/on/at*	en
inside	*insáid*	dentro, dentro de
of/from/by	*of/from/bái*	de
outside	*áutsaid*	fuera, fuera de
through	*zru*	a través de
to	*tu*	a
towards	*tuárds*	hacia
under	*ándee*	bajo, debajo de
until, till	*úntil, til*	hasta
up	*ap*	arriba, hacia arriba
with	*uiz*	con
without	*uizáut*	sin

IN, ON, AT

En inglés hay también hay preposiciones diferentes con un uso muy similar; es el caso de **in, on** y **at,** que merecen una atención especial: Como preposicion de tiempo, **in** se emplea para los meses, el año, las estaciones y partes del día. Decimos:

29

in August	*in ógost*	en agosto
in 2007	*in 2007*	en 2007
in winter	*in úinte*	en enero
in the morning	*in de mórnin*	por la mañana
in the afternoon	*in di afternún*	por la tarde

Sin embargo decimos:

on Tuesday morning	*on tiúsdei mórnin*
el martes por la mañana	
on Tuesday afternoon	*on tiúsdei afternún*
el martes por la tarde	

On también se usa para referirse a los días de la semana, a una fecha concreta y para fechas señaladas o festivas:

on Monday	*on mándei*	el lunes
on the 1st of July	*on de ferst of yulái*	el primero de julio
on Easter Sunday	*on íste sándei*	en domingo de Pascua

Utilizamos **at** en las expresiones:

at night	*at náit*	por la noche
at noon	*at núun*	a mediodía
at midnight	*at mídnait*	a medianoche

y para indicar la hora:

| at two o'clock | *at tu óu clok* | a las dos |
| at half past three | *at jaf past zri* | a las tres y media |

In, on y **at** también son preposiciones que indican lugar y dirección, un uso que puede presentar problemas para el castellanohablante, pues en la mayoría de los casos la traducción es idéntica: "en".

Ejemplos:

in bed	*in bed*	en la cama
in the street	*in de strit*	en la calle
in London	*in lóndon*	en Londres
on television	*on télevishon*	en la televisión
on the wall	*on de uuól*	en la pared
on the plane	*on de pláin*	en el avión
		(a bordo del avión)
at the hospital	*at de jóspital*	en el hospital
at my grandmother's	*at mái grándmoders*	en casa de mi abuela
at the airport	*at di érport*	en el aeropuerto

■ EL VERBO ■

El sistema verbal inglés es morfológicamente muy sencillo, sobre todo comparado con el español.

Por regla general, delante de los verbos en inglés no se puede omitir (como en español) el pronombre personal correspondiente.

EL INFINITIVO
Se forma con la preposición **to:**

to be	*tu bi*	ser, estar
to sleep	*tu slip*	dormir
to fly	*tu flái*	volar

EL PRESENTE

Excepto en algunos verbos irregulares, en **presente** todas las formas son iguales a la del infinitivo sin el **to,** salvo la tercera persona del singular **(he/she/it),** en la que hay que añadir una **–s.**

Así, el verbo **to look** (*tu luk,* mirar) se conjuga en **presente:**

I look	*ái luk*	miro
you look	*yu luk*	miras
he/she/it looks	*ji/shi/it luks*	mira
we look	*uí luk*	miramos
you look	*yu luk*	miráis
they look	*déi luk*	miran

EL PASADO

El **pasado** regular se forma añadiendo **–ed** al infinitivo en todas las personas:

I looked	*ái lukt*	miré
you looked	*yu lukt*	miraste
he/she/it looked	*ji/shi/it lukt*	miró
we looked	*uí lukt*	miramos
you looked	*yu lukt*	mirásteis
they looked	*déi lukt*	miraron

Hay bastantes verbos que, como en español, tienen un **pasado** y **un participio irregulares.** Para utilizarlos correctamente no hay más remedio que aprender las formas de memoria. Al final de esta minigramática se ofrece una lista de los más comunes y de mayor utilidad para el viajero.

EL FUTURO

El **futuro** se puede expresar con varias formas del presente y también con el verbo modal **will** *(wil):*

I will look	*ái wil luk*	miraré
you will look	*yu wil luk*	mirarás
he/she/it will look	*ji/shi/it wil luk*	mirará
we will look	*uí wil luk*	miraremos
you will look	*yu wil luk*	miraréis
they will look	*déi wil luk*	mirarán

que también tiene forma abreviada:

I'll look	*áil luk*	miraré
you'll look	*yul luk*	mirarás
he/she/it'll look	*jil/shil/itl luk*	mirará
we'll look	*uil luk*	miraremos
you'll look	*yul luk*	miraréis
they'll look	*déil luk*	mirarán

FORMAS COMPUESTAS

Las **formas compuestas** se forman, como en español, con los verbos **to be** *(to bi)* y **to have** *(tu jaf):*

TO BE	I am	*ái am*	soy
	you are	*yu ar*	eres
	he/she/it is	*ji/shi/it is*	es
	we are	*uí ar*	somos
	you are	*yu ar*	sois
	they are	*déi ar*	son

33

TO HAVE	I have	*ái jaf*	he
(HABER)	you have	*yu jaf*	has
	he/she/it has	*ji/shi/it jas*	ha
	we have	*ui jaf*	hemos
	you have	*yu jaf*	habéis
	they have	*déi jaf*	han

Nota: cuando no funcionan como verbos auxiliares, **to be** y **to have** significan, respectivamente, "ser, estar" y "tener".

Los verbos **to be** y **to have** se usan muy a menudo –especialmente en inglés hablado– en sus llamadas "formas cortas o abreviadas", que son el resultado de la contracción del pronombre personal y la forma verbal correspondiente.

FORMAS ABREVIADAS

TO BE		TO HAVE	
I'm	*áim*	I've	*áif*
you're	*yor*	you've	*yuf*
he/she/it's	*jis/shis/its*	he's/she's/it's	*jis/shis/its*
we're	*uír*	we've	*uif*
you're	*yor*	you've	*yuf*
they're	*déir*	they've	*déif*

Para las **formas interrogativas** y **negativas** se utiliza el verbo auxiliar **to do** *(tu du)*, que cuando no es auxiliar significa "hacer" y se conjuga:

TO DO			
I do	*ái du*	we do	*uí du*
you do	*yu du*	you do	*yu du*
he/she/it does	*ji/shi/it das*	they do	*déi du*

FORMA INTERROGATIVA		FORMA NEGATIVA	
do I?	*du ái?*	I do not	*ái du not*
do you	*du yu?*	you do not	*yu du not*
does he/she/it?	*das ji/shi/it?*	he/she/it does not	*ji/shi/it das not*
do we?	*du uí?*	we do not	*uí du not*
do you?	*du yu?*	you do not	*yu du not*
do they?	*du déi?*	they do not	*déi du not*

Aunque para las construcciones negativas es más frecuente emplear la forma abreviada:

I don't	*ái dóunt*
you don't	*yu dóunt*
he/she/it doesn't	*ji/shi/it dásent*
we don't	*uí dóunt*
you don't	*yu dóunt*
they don't	*déi dóunt*

Ejemplos de frases interrogativas:

do you speak English?	*du yu spíik ínglis?*	¿habla/s inglés?
does she like bier?	*das shi laík bíe?*	¿le gusta la cerveza?

Ejemplos de frases negativas:

I don't understand	*ái dóunt anderstánd*	no entiendo
we don't need a guide	*uí dóunt nid a gáid*	no necesitamos un guía

El **participio presente** se forma añadiendo la terminación **–ing** a la raíz del verbo:

35

looking	*lúkin*	mirando

El **participio pasado** es igual que la forma de pasado simple en los verbos regulares:

looked	*lúkt*	mirado

Verbos irregulares más comunes:

aprender	learn *(lern)*	learnt *(lernt)*	learnt *(lernt)*
beber	drink *(drink)*	drank *(drank)*	drunk *(dránk)*
coger	catch *(cach)*	caught *(cot)*	caught *(cot)*
coger, tomar	take *(téik)*	took *(tuk)*	taken *(téiken)*
comer	eat *(íit)*	ate *(eit)*	eaten *(íten)*
comprar	buy *(bái)*	bought *(bot)*	bought *(bot)*
comprender/ entender	understand *(anderstánd)*	understood *(anderstúd)*	understood *(anderstúd)*
conducir	drive *(draif)*	drove *(dróuf)*	driven *(dríven)*
cortar	cut *(cat)*	cut *(cat)*	cut *(cat)*
costar	cost *(cost)*	cost *(cost)*	cost *(cost)*
dar	give *(gif)*	gave *(géif)*	given *(gíven)*
dejar	leave *(líif)*	left *(left)*	left *(left)*
doler	hurt *(jert)*	hurt *(jert)*	hurt *(jert)*
dormir	sleep *(slíip)*	slept *(slept)*	slept *(slept)*
elegir	choose *(chúus)*	chose *(chóus)*	chosen *(chóusen)*
empezar	begin *(bigín)*	began *(bigán)*	began *(bigán)*
enviar	send *(send)*	sent *(sent)*	sent *(sent)*
escribir	write *(ráit)*	wrote *(róut)*	written *(ríten)*
hablar	speak *(spíik)*	spoke *(spóuk)*	spoken *(spóuken)*

hacer	do *(du)*	did *(did)*	done *(dan)*
hacer	make *(méik)*	made *(méid)*	made *(méid)*
ir	go *(góu)*	went *(uént)*	gone *(gon)*
nadar	swim *(suím)*	swam *(suám)*	swum *(suóm)*
oír	hear *(jíe)*	heard *(jerd)*	heard *(jerd)*
pagar	pay *(péi)*	paid *(péid)*	paid *(péid)*
pensar	think *(zink)*	thought *(zot)*	thought *(zot)*
perder	lose *(lúus)*	lost *(lost)*	lost *(lost)*
quemar	burn *(bern)*	burnt *(bernt)*	burnt *(bernt)*
robar	steal *(stíil)*	stole *(stóul)*	stolen *(stóulen)*
romper	break *(bréik)*	broke *(bróuk)*	broken *(bróuken)*
saber	know *(nóu)*	knew *(niú)*	known *(nóun)*
sentarse	sit *(sit)*	sat *(sat)*	sat *(sat)*
sentir	feel *(fíil)*	felt *(felt)*	felt *(felt)*
ser, estar	be *(bi)*	was/were *(uós/uée)*	been *(bin)*
tener	have *(jaf)*	had *(jad)*	had *(jad)*
tomar, coger	get *(yet)*	got *(got)*	got *(got)*
traer	bring *(brin)*	brought *(brot)*	brought *(brot)*
vender	sell *(sel)*	sold *(sóuld)*	sold *(sóuld)*
venir	come *(cam)*	came *(kéim)*	come *(cam)*
ver	see *(síi)*	saw *(so)*	seen *(síin)*

■ VOCABULARIO GENERAL ■

abierto	open	*óupen*
adiós	goodbye	*gudbái*
allí	there/over there	*dée/óuve dée*
aquí	here	*jíe*
bastante/suficiente	enough	*ináf*
bien	well	*uel*
bueno	good	*gud*
caliente	hot	*jot*
cerrado	closed	*clóusd*
día festivo	bank holiday	*bank jólidei*
frío	cold	*cóuld*
grande	big	*big*
hola	hello/hi	*jelóu/jái*
malo	bad	*bad*
muchos	many	*méni*
muy	very	*véri*
no	no	*nóu*
pequeño	small	*smól*
pocos	few/a few	*fiú/a fiú*
sí	yes	*ies*
tal vez	perhaps/maybe	*perjáps/méibi*
vacaciones	holiday	*jólidei*

■ EXPRESIONES HABITUALES ■

bien, gracias	fine, thanks	*fáin, zanks*
buenos días	good morning	*gud mórnin*
buenas tardes	good afternoon	*gud afternún*
buenas tardes	good evening	*gud ífnin*
(a partir de las 18.00-19.00)		

buenas noches	good night	*gud náit*
(al despedirse para irse a dormir)		
¿cómo está/ás?	how do you do?	*jau du yu du?*
de nada	that's all right	*dats olráit*
disculpe	excuse me	*exkiúsmi*
encantado de conocerte/le	pleased to meet you	*plisd to mit yu*
gracias	thank you	*zénkiu*
hasta luego	see you later	*si yu léite*
hasta mañana	see you tomorrow	*si yu tumórou*
lo siento	I'm sorry	*áim sóri*
muy bien, gracias	very well, thank you	*veriuél, zenkiú*
no estoy de acuerdo	I disagree	*ái disagrí*
no lo sé	I don't know	*ái dóunt nóu*
perfecto, gracias	fine, thanks	*fáin, zanks*
por favor	please	*plíis*
por supuesto	of course	*of cóors*
¡qué bien!	how nice!	*jáu náis!*
¿qué tal?	how are you?	*jáu áa yu?*
sí, así es	that's right	*dats ráit*
soy español	I'm from Spain	*áim from spéin*
un momento, por favor	just a moment, please	*jast a móument, plíis*
vale/ de acuerdo	ok /all right	*okéi /olráit*

■ PREGUNTAS HABITUALES ■■■■■■■■■

¿qué?	what?	*uát?*
¿cuándo	when?	*uén?*
¿cuál?	which?	*uich?*
¿por qué?	why?	*uái?*
¿dónde?	where?	*uée?*

¿quién?	who?	*ju?*
¿hay...?	is there...?	*uát?*
¿tienen...?	have you got...?	*jaf yu got...?*
¿cuánto cuesta...?	how much is...?	*jáu mach is...?*
¿dónde está...?	where is...?	*uér is...?*
¿a qué hora...?	what time..?	*uát táim...?*

■ AL TELÉFONO

¿diga?	hello?	*jelóu?*
¿podría hablar con...?	can I talk to...?	*cánai tok tu...?*
¿quién és?	who's this?	*jus dis?*
¿de parte de quién?	who's calling?	*jus cólin?*

■ DÍAS DE LA SEMANA

lunes	Monday	*mándai*
martes	Tuesday	*tiúsdei*
miércoles	Wednesday	*uéndsdei*
jueves	Thursday	*cérsdei*
viernes	Friday	*fráidei*
sábado	Saturday	*sáterdei*
domingo	Sunday	*sándei*

■ MESES DEL AÑO

| enero | January | *iánuari* |
| febrero | February | *fébruari* |

marzo	March	*march*
abril	April	*éipril*
mayo	May	*méi*
junio	June	*yun*
julio	July	*yulái*
agosto	August	*ógost*
septiembre	September	*septémbe*
octubre	October	*octóube*
noviembre	November	*novémbe*
diciembre	December	*disémbe*

ESTACIONES

primavera	spring	*sprín*
verano	summer	*sáme*
otoño	autumm	*ótom*
invierno	winter	*uínte*

FECHAS ESPECIALES

Año Nuevo	New Years Day	*niú yíers déi*
Semana Santa	Easter	*íste*
Nochebuena	Christmas Eve	*krismas íif*
Navidad	Christmas	*krísmas*

EL DÍA

| por la mañana | in the morning | *ín de mórnin* |

a mediodía	at noon/at midday	*at nun/at mid déi*
por la tarde	in the afternoon/ evening	*in de afternún/ ífnin*
por la noche	at night	*at náit*
a medianoche	at midnight	*at mídnait*

TIEMPO

ahora	now	*náu*
antes	early on/earlier	*érli on/érlie*
antes de	before	*bifó*
antesdeayer	the day before yesterday	*de déi bifó yésterdei*
después	later on/later	*léite on/léite*
día	day	*déi*
entre semana	weekday	*wíkdei*
fin de semana	weekend	*wíkend*
hora	hour	*áue*
minuto	minute	*mínit*
pasado mañana	the day after tomorrow	*de déi afte tumórou*
quince días	fortnight	*fortnáit*
segundo	second	*sécond*
semana	week	*wik*
todo el día	all day long	*ol déi lon*
todos los días	every day	*évri déi*

LA HORA

Para decir la hora en inglés se emplean la expresión **o'clock** y también las abreviaturas **am** (*éi em*, ante meridiem), hasta las 12.00 y **pm** (*pi em*, post meridiem) a partir de las 12.00:

¿qué hora es...?	son las dos de la tarde
what time is it?	it's two o'clock in the afternoon/
uát táim is it?	it's 2 am
	its tu oklók in de afternún/its tu éi em

Para las medias horas se emplea la expresión **half past** *(jaf past)*:

son las dos y media	it's half past two	*its jaf past tu*

Para los cuartos se usa **quarter past** *(cuóte past)*:

las tres y cuarto	quarter past three	*cuóte past zri*
las cinco menos cuarto	quarter to five	*cuóte tu fáif*

"Un cuarto de hora" se dice **quarter of an hour** *(cuóte of an áue)* y "media hora" se dice **half an hour** *(jaf an áue)*.

■ SITUACIÓN ■

a la derecha	on the right	*ón de ráit*
a la izquierda	on the left	*ón de left*
abajo	down	*dáun*
allí	there	*dée*
aquí	here	*jíe*
arriba	up	*ap*
cerca	near/close by	*níe/clóus bai*
¿dónde está/están...?	where is/are...?	*uér is/ar...?*
lejos	far/a long way	*fáa/a long uéi*

■ NÚMEROS CARDINALES ■

0	nought, zero	*not, síro*
1	one	*uán*
2	two	*tu*
3	three	*zri*
4	four	*fóo*
5	five	*fáif*
6	six	*six*
7	seven	*séven*
8	eight	*éit*
9	nine	*náin*
10	ten	*ten*
11	eleven	*iléven*
12	twelve	*tuélf*
13	thirteen	*certín*
14	fourteen	*fortín*
15	fifteen	*fiftín*
16	sixteen	*sixtín*
17	seventeen	*seventín*
18	eighteen	*eitín*
19	nineteen	*naintín*
20	twenty	*tuénti*
21	twenty-one	*tuentiuán*
30	thirty	*cérti*
40	forty	*fórti*
50	fifty	*fífti*
60	sixty	*síxti*
70	seventy	*séventi*
80	eighty	*éiti*
90	ninety	*náinti*
100	one hundred	*uán jándred*
101	one hundred and one	*uán jándred and uán*
155	one hundred and fifty	*uán jándred and fífti*
200	two hundred	*tu jándred*

202	two hundred and two	*tu jándred and tu*
250	two hundred and fifty	*tu jándred and fífti*
300	three hundred	*zri jándred*
400	four hundred	*fóo jándred*
500	five hundred	*fáif jándred*
600	six hundred	*six jándred*
700	seven hundred	*séven jándred*
800	eight hundred	*éit jándred*
900	nine hundred	*náin jándred*

Delante del millar se emplea coma y no punto, como en español:

1,000	one thousand	*uán záusend*

A partir de 1.000 no se emplea **and** entre el millar y las centenas, sólo entre las centenas y las decenas:

1,552	one thousand five hundred and fifty-two
	uán záusend fáif jándred and fífti tu

Sí se emplea **and** cuando no hay centenas:

1,050	one thousand and fifty	*uán záusend and fífti*

Para separar el millón de los millares de centenas también se pone una coma:

1,000,000	one million	*uán mílion*
2,000,000	two million	*tu mílion*

46

Hundred, thousand y **million** son invariables:

200 pounds	tu jándred páunds	*200 libras*

excepto cuando se emplean como sustantivos:

hundreds of people	*jándreds of pípol*	cientos de personas

■ NÚMEROS ORDINALES ■

primero	first	*ferst*
segundo	second	*sécond*
tercero	third	*zerd*
cuarto	fourth	*forz*
quinto	fifth	*fifz*
sexto	sixth	*sixz*
séptimo	seventh	*sévenz*
octavo	eighth	*éitz*
noveno	ninth	*náinz*
décimo	tenth	*tenz*
undécimo	eleventh	*ilévenz*
vigésimo	twentieth	*tuéntiez*
vigésimo primero	twenty-first	*tuénti ferst*
vigésimo segundo	twenty-second	*tuénti sécond*
vigésimo tercero	twenty-third	*tuénti zerd*

Para decir la fecha en inglés se emplean los numerales ordinales. Así, el 25 de diciembre sería **on December 25th** *(on disémbe tuénti-fifz)* o bien **on the 25th of december** *(ónde tuélf of disémbe)*.
Los siglos también se dicen con números ordinales: el siglo XXI es **the 21st century** *(de tuénti ferst sénturi)*.

En los números de teléfono el cero se dice como la letra **o**: *óu*. Así, el número **2071635057** se leería en voz alta: *tu-óu-séven-uán-siz-zri-fáif-oú-fáif-séven*.

■ COLORES

amarillo	yellow	*yélou*
azul	blue	*blu*
blanco	white	*uáit*
gris	grey	*gréi*
marrón	brown	*bráun*
morado	purple	*pérpel*
naranja	orange	*órench*
negro	black	*blak*
rojo	red	*red*
rosa	pink	*pink*
verde	green	*grin*

Para diferenciar entre claro y oscuro se emplean, respectivamente, los adjetivos **light** *(láit)* y **dark** *(dark)*:

azul claro	light blue	*láit blu*
azul oscuro	dark blue	*dark blu*

Como ocurre con la mayoría de los adjetivos, también los colores preceden al sustantivo al que acompañan:

un vestido azul oscuro	a dark blue dress	*a dark blu dres*

48

■ MEDIDAS ■

En Gran Bretaña no se usa apenas el sistema métrico decimal, por lo
que la siguiente tabla de equivalencias puede resultar de utilidad:

LONGITUD

1 kilómetro (kilometre) = 0,62 millas (miles)
1 milla (mile) = 1,61 kilómetros (kilometres)
1 yard (yard) = 0,91 metros (metres)
1 metro (metre) = 0,91 yardas (yards)
1 pulgada (inch) = 2,54 centímetros (centimetres)
1 centímetro (centimetre) = 0,39 pulgadas (inches)

PESO

1 gramo (gram) = 0,035 onzas (ounzes)
1 onza (ounze) = 28,35 gramos (grams)
1 kilo (kilo) = 2,2 libras (pounds)
1 libra (pound) = 0,45 kilos (kilos)

LÍQUIDOS

1 pinta (pint) = 0,54 litros (liters)
1 galón (gallon) = 4,55 litros (liters)

ALGUNAS CONVERSIONES

grados centígrados	0°	5°	15°	20°	25°	30°	38°
grados farenheit	32°	41°	50°	68°	77°	86°	100°

49

LLEGADA AL PAÍS

Viajar a Estados Unidos o a Gran Bretaña no entraña ninguna dificultad. Al ser nudos fundamentales del tráfico aéreo, numerosas compañías disponen de vuelos a las principales ciudades, bien directos o con escalas.

A Gran Bretaña se puede llegar también en otros medios de transporte. Hay transbordadores que enlazan el norte de España con el suroeste británico y autobuses desde diversas ciudades españolas a Londres. Si se viaja en tren, autobús o coche hay que cruzar el canal de la Mancha, ya sea en transbordador o a través del Eurotúnel.
Para entrar en Gran Bretaña los españoles necesitan el DNI o el pasaporte en regla. En el caso de Estados Unidos es imprescindible rellenar un cuestionario en internet al menos 72 horas antes de acceder al avión y poseer un pasaporte de lectura mecánica.

LETREROS DE UTILIDAD

Arrivals	Llegadas
Baby Changing Facilities	Cambiadores
Baggage Enquiries	Información de equipajes
Baggage Reclaim	Recogida de equipajes
Border Crossing	Paso de la frontera
Bureau de Change	Cambio de moneda
Car Hire	Alquiler de coches
Car Park	Aparcamiento
Cash Facilities	Cajeros automáticos
Caution	Precaución
Closed	Cerrado
Customer Service	Atención al cliente
Customs	Aduana

Danger	Peligro
Entrance	Entrada
Flight Connections	Conexión de vuelos
Food and Drink	Cafeterías/Restaurantes
Free/Vacant	Libre
Goods to Declare	Algo que declarar
Information Desks	Mostradores de información
Insert a Coin	Insertar moneda
Internet Access	Acceso a Internet
Left Baggage	Consigna
Lost Baggage Office	Oficina de reclamación de equipaje
Lost Property Office	Oficina de objetos perdidos
Medical Help	Dispensario
Mind the Step	Cuidado con el escalón
No Entry	No pasar
Nothing to Declare	Nada que declarar
Occupied	Ocupado
Open	Abierto
Passaport Control	Control de pasaportes
Phones and Fax	Teléfono y fax
Pull	Tirar
Push	Empujar
Security Control	Control de seguridad
Shops	Tiendas
Slippery Floor	Superficie resbaladiza
Toilets/Restrooms	Aseos
Tourist Information	Información turística
Way Out/Exit	Salida
Wet Floor	Suelo mojado
Worship	Capilla

■ VOCABULARIO GENERAL ■

agente de aduanas	customs officer	*cástoms ófise*
agente de inmigración	inmigration officer	*imigréishon ófise*
agencia de viajes	travel agency	*trável éiyensi*
agente de policía	police officer/ constable	*polís ófise/ cónstabel*
coche	car	*cáa*
banco	bank	*bank*
billetes	tickets	*tíkets*
bolso/a	bag	*bag*
bolso de mano	handbag	*jándbag*
carné de conducir	driving licence	*dráivin láisens*
carné de identidad	(national) identity card	*(nashional) aidéntiti card*
carro portaequipajes	trolley	*tróli*
cartera	wallet	*uálet*
centro de la ciudad	city/town centre	*siti/táun sénte*
cola	queue	*kiú*
ciudad	city/town	*síti/táun*
consigna	left luggage office/ locker	*left láguech ófis/ lóke*
dinero en metálico	cash	*kash*
equipaje	luggage/baggage	*láguech/báguech*
equipaje de mano	hand luggage/ baggage	*jandláguech/ báguech*
estación de metro	underground station	*ándergraund stéishon*
estación de tren	railway station	*réiluei stéishon*
fila	line	*láin*
gratuito	free	*fri*
horario	timetable	*táimteibol*
huelga	strike	*stráik*

53

maleta	suitcase	*sútkeis*
maleta rígida	hard-shell suitcase	*jard shél sútkeis*
maleta blanda	soft-shell suitcase	*soft shel sútkeis*
metro	underground	*ándergraund*
monedero	purse	*pers*
mostrador	desk	*desk*
mostrador de información	information desk	*informéishon desk*
mozo portaequipajes	porter	*pórte*
nacionalidad	nationality	*nashonáliti*
objetos a declarar	goods to declare	*guds tu diclér*
parada de autobús	bus stop	*bas stop*
parada de taxis	taxi rank	*táxi rank*
pasajero	passenger	*pásenche*
pasajeros en tránsito	transit passengers	*tránsit pásenchers*
pasaporte	passport	*pásport*
perdido	lost	*lost*
punto de encuentro	meeting point	*mítin póint*
reserva de hoteles	hotel booking	*joutél búkin*
retraso	delay	*diléi*
ruedas (de maleta)	rolling wheels	*róulin uíls*
tarjeta turística	tourist pass	*túrist pas*
titular del pasaporte	passport holder	*pásport jóulde*
ventanilla	window	*uíndou*
visado	visa	*visa*

■ VERBOS DE UTILIDAD ■

abrir	to open	*tu óupen*
alquilar	to hire/to rent	*tu jáie/tu rent*
ayudar	to help	*tu jelp*
caminar	to walk	*tu wok*

cancelar	to cancel	*tu cánsel*
cerrar	to close	*tu clóus*
coger/tomar	to take	*tu téik*
comprar	to buy/to purchase	*tu bái/tu pércheis*
confiscar	to confiscate	*tu cónfiskeit*
contestar	to answer	*tu ánser*
encontrar	to find	*tu fáind*
enseñar	to show	*tu shóu*
esperar	to wait	*tu uéit*
ir	to go	*tu góu*
llegar	to arrive	*tu aráif*
marcharse	to leave	*tu líif*
necesitar	to need	*tu níid*
pedir ayuda	to ask for help	*tu ask fóo jelp*
perder	to lose	*tu lúus*
preguntar	to ask	*tu ask*
protestar	to complain	*tu compléin*
recoger	to collect	*tu colékt*
salir	to depart	*lu dípart*
traer	to bring	*tu brin*

■ LLEGADA EN AVIÓN ■

aeropuerto	airport	*érport*
ascensor	lift	*lift*
aterrizar	to land	*tu land*
avión	plane	*pléin*
cambiar de avión	to change planes	*tu chéinch pléins*
cinta transportadora	conveyor belt	*convéior belt*
compañía aérea	airline	*érlain*
desembarcar	to leave the plane	*tu líif de pléin*
destino	destination	*déstineishon*

mostrador de pasajeros en tránsito	flight connections centre	*fláit conékshons sénte*
número de vuelo	flight number	*fláit námbe*
pasajeros en tránsito	transit passengers	*tránsit pásenchers*
pista de aterrizaje	landing strip/ landing-line	*lándin strip/ lándin láin*
etiqueta localizadora de equipaje	claim baggage ticket	*kléim báguech tíket*
terminal	terminal building	*términal bíldin*
tránsito	transit	*tránsit*
vuelo	flight	*fláit*
vuelo internacional	international flight	*internáshonal fláit*
vuelo nacional	domestic flight	*doméstic fláit*

■ LLEGADA EN BARCO

Canal de la Mancha	English Channel	*ínglish chánel*
capitán	captain	*cápten*
desembarcar	to disembark	*tu disembárk*
muelle	dock/quay	*dok/ki*
puerto	harbour/port	*járbor/port*
ruta de transbordador	ferry route	*féri rut*
transbordador	ferry	*féri*
tripulación	crew	*cru*

■ LLEGADA EN TREN

| andén | platform | *plátform* |
| Eurotúnel | Eurotunnel | *yurotánel* |

red ferroviaria	railway system	*réilwei sístem*
revisor	inspector	*inspékto*
tren	train	*tréin*
vagón	carriage	*cáriech*

■ SITUACIÓN

a bordo	on board	*on bord*
a cubierta	on deck	*on dek*
a la derecha de	to the right of	*tu de ráit of*
a la izquierda de	to the left of	*tu de léft of*
a la vuelta de la esquina	around the corner	*áraund de córner*
allí	there/over there	*déa/óuve déa*
aquí	here	*jíe*
cruzando la calle/ carretera	across the road	*acrós de róud*
desde aquí	from here	*from jíe*
dentro	inside	*insáid*
en la primera/ segunda planta	on the first/ second floor	*on de ferst/ sécond flóo*
frente a	in front of/opposite	*in fróntof/óposit*
fuera	outside	*áutsaid*
junto a	next to	*next tu*
justo aquí	right here	*ráit jíe*
justo detrás	just behind	*yast bijaínd*
justo enfrente	just opposite	*yast óposit*
muy cerca	really close	*ríli clóus*
no lejos de aquí	not far from here	*not fáa from jíe*
todo seguido	straight ahead	*stréit ajéd*

Si necesita ayuda el viajero dice...

No hablo inglés
I don't speak English
Ái dóunt spik ínglish

Hablo un poco de inglés
I speak a little English
Ái spik a litel ínglish

¿Habla usted español?
Do you speak Spanish?
Du yu spik spánish?

¿Me entiende usted?
Do you understand me?
Du yu anderstánd mi?

Lo siento, no le entiendo
Sorry. I don't understand
Sori. Ái dóunt anderstánd

Perdone, ¿podría hablar más despacio?
Sorry, could you speak more slowly?
Sory, cud yu spik mor slóuli?

¿Podría repetir, por favor?
Could you repeat, please?
Cud yu ripít, plis?

¿Me lo puede deletrear?
Can you spell it?
Can yu spel it?

¿Cómo se pronuncia esta palabra?
How do you pronounce this word?
Jáu du yu pronáuns dis word?

¿Qué significa esa palabra?
What does that word mean?
Uát das dat werd min?

Necesito ayuda
I need help
Ái nid jelp

Me he perdido
I am lost
Ái am lost

No sé dónde estoy
I don't know where I am
Ái dóunt nóu uer ái am

¿Tiene cambio?
Have you got change?
Jaf yu got chéinch?

He perdido la conexión de mi vuelo con...
I've lost my connecting flight to...
Áif lost mái conéctin fláit tu...

Para informarse el viajero pregunta...

Perdone, ¿puede ayudarme?
Excuse me, can you help me?
Exkiús mi, can yu jelp mi?

¿Qué debo hacer ahora?
What shall I do now?
Uát shal ái du náu?

¿Estoy en la terminal correcta?
Am I in the right terminal?
Am ái in de ráit términal?

¿Voy bien para...?
Is it this way to...?
Ísit dis uéi tu...?

¿Dónde puedo conseguir monedas para el carro?
Where can I get some coins for the trolley?
Ué can ái get sam cóins fóo de tróli?

¿Cómo puedo ir a...?
How do I get to...?
Jáu du ái get tu...?

¿Cuál es la mejor manera de ir hasta el centro de Londres?
Which is the best route to get to central London?
Uich is de best uéi tu get tu séntral lóndon?

Hay autobuses al centro de la ciudad...?
Are there buses to the city centre?
Ar dée báses tu de síti sénte...?

¿Está lejos de aquí la estación Victoria?
Is it far from here to Victoria Station?
Ísit fáa from jíe tu victória stéishon?

¿Dónde está la oficina de información turística?
Where's the Tourist Information Office?
Uérs de túrist infoméishon ófis?

¿Dónde puedo comprar un London Pass?
Where can I purchase a London Pass?
Uée can ái pércheis a lóndon pas?

¿Qué atracciones turísticas incluye el London Pass?
What tourist attractions does the London Pass include?
Uát túrist atrákshons das de lóndon pas inclúd?

59

¿Incluye entradas a museos?
Does it include free entrance to
    museums?
*Das it inclúd fri éntrans tu
    miúsiems?*

¿Cuánto dinero me ahorro?
How much money do I save?
Jáu mach máni du ái séif?

**¿Puedo comprar aquí también
    un bono transportes?**
Can I buy here a travelcard too?
Cánai bái jíe a trável card tu?

**Quisiera un London Pass para
    tres días**
I'l like a three-day London Pass
Áid láik a zri déi lóndon pas

¿Dónde puedo encontrar...?
Where can I find...?
Uée can ái fáind?

**¿Dónde puedo conseguir un
    plano de Londres?**
Where can I get a map of
    London?
Uée can ái get a map of lóndon?

**¿Viene con rutas de autobús/
    metro?**
Does it have bus/underground
    routes?
Das it jaf bas/ándergraund ruts?

¿Es gratuito?
Is it free?
Is it fri?

**¿Dónde se coge el autobús
    tren/metro?**
Where do I take the bus/train,
    underground?
*Uée du ái teik the bas/tréin/
    ándergraund?*

¿Dónde puedo encontrar un taxi?
Where can I get a taxi?
Uée can ái get a táxi?

¿Dónde puedo alquilar un coche?
Where can I hire a car?
Uée can ái jáir a cáa?

¿Dónde recojo el coche?
Where do I pick up my car?
Uée du ái pik ap mái cáa?

**¿Dónde puedo hacer una reser-
    va de hotel?**
Where can I book a hotel room?
Uée can ái buk a joutél rum?

**¿Me puede recomendar
    un buen hotel cerca de la
    estación?**
Can you recommend a good
    hotel near the station?
*Can yu ricoménd a gud joutél nía
    de stéishon?*

Quisiera un hotel económico en el centro de Londres
I'd like to book a budget hotel in central London
Áid láik to buk a báchet joutél in séntral lóndon

¿Cual es el precio por noche?
How much does it cost per night?
Jáu mach das it cost per náit?

¿Tengo que pagar una señal?
Do I have to leave a deposit?
Du ái jaf tu lif a depósit?

¿Puede darme información sobre establecimientos bed & breakfast en Londres?
Could you give me information about bed & breakfasts in London?
Cud yu gif mi informéishon abáut bad and brékfasts in lóndon?

¿Me puede hacer la reserva?
Can you book it for me?
Can yu buk it fóo mi?

¿Cómo puedo ir a la estación de Waterloo?
How can I get to Waterloo Station?
Jáu can ái get tu wáterlu stéishon?

¿Me lo puede mostrar en el mapa?
Can you show me on the map?
Can yu shóu mi on de map?

¿Cuánto me costará un taxi desde aquí?
How much will a taxi cost from here?
Jáu mach wil a táxi cost from jíe?

¿Puede darme los horarios de tren?
Could I have a train timetable?
Cud ái jaf a tréin táimteibol?

¿Me puede escribir la dirección?
Can you write down the adress for me, please?
Can yu ráit dáun di adrés fóo mi, plis?

¿Dónde están los cajeros automáticos?
Where are the cash facilities/dispensers?
Uéer ar de cash fasílitis/dispénsers?

Tengo que dar de comer a mi bebé. ¿Dónde voy?
I need to feed my baby. Where do I go?
Ái nid to fíid mái béibi. Uée du ái góu?

61

¿Dónde puedo comer algo?
Where can I get something to eat?
Uée can ái get sámzin tu it?

¿Hay servicio de portaequi-pajes?
Is there porter service?
Is dée pórte sérvis?

Quisiera contratar un mozo portaequipajes
I'd like to hire a porter
Áid láik tu jáir a pórtee

¿Puedo dejar mi equipaje en algún sitio?
Is there a place where I can leave my baggage?
Is der a pléis uer ái can lif mái báguech?

Para dar las gracias el viajero dice...

Gracias por su ayuda
Thanks for your help
Zanks fóo yo jelp

Gracias por todo
Thanks for everything
Zanks for évrizin

Es usted muy amable
It's very kind of you
Its véri káind of yu

Me ha sido de gran ayuda
You've been very helpful
Yuf bin véri jélpful

En el mostrador de información el empleado dice...

May I help you Sir/Madam?
Méi ái jelp yu, sée/mádam?
¿Puedo ayudarle, señor/se-ñora?

Is there anything I can do for you?
Is der énizin ái can du fóo yu?
¿Qué puedo hacer por usted?

Go to desk 2
Góu tu desk tu
Vaya al mostrador número 2

Let me check the computer
Let mi chek de compiúte
**Déjeme que consulte en el
ordenador**

You have to go to Terminal 1 and
take the bus...
*Yu jaf tu góu tu términal uán and
téik de bas...*
**Tiene que ir hasta la terminal 1
y tomar el autobús...**

I'm afraid that flight has been
cancelled
*Áim afréid dat fláit jas bin
cánseled*
**Me temo que ese vuelo ha sido
cancelado**

There are no more flights until
tomorrow
*Der ar nóu mor fláits ántil
tumórou*
**No hay más vuelos hasta
mañana**

Take the shuttle train to Ter-
minal 2
Téik de shátel tréin tu términal tu
**Tome el tren lanzadera hasta la
Terminal 2**

You're in the wrong place
Yor in de rong pléis
Aquí no es

Take the lift and go to the first
floor
*Téik de lift and góu to de ferst
flóo*
**Coja el ascensor y suba al
primer piso**

You are here
Yu ar jíe
Usted está aquí

Go to the Lost Baggage Office
Góu tu de lost báguech ófis
**Vaya a la oficina de pérdida de
equipajes**

It's easy
Its ísi
Es fácil

They will help you there
Déi wil jelp yu déa
Allí le ayudarán

There's a taxi rank outside quay
número 5
*Ders a táxi rank áutsaid ki námbe
fáif*
**Hay una parada de taxis salien-
do del muelle número 5**

Follow the signs
Fólou de sáins
Siga los letreros indicadores

63

I'll write it down for you
Áil ráit it dáun fóo yu
Se lo escribiré

You're welcome/not at all
Yor uélcam/not at ol
De nada/no hay de qué

I'm afraid I can't help you
Áim áfreid ái cant jelp yu
Me temo que no puedo ayudarle

I'm sorry. I don't have that information here
Lo siento, pero no tengo esa información aquí

I'm sorry. I don't have that information here
Áim sóri. Ái dóunt jaf dat informéishon jía
Lo siento, pero no tengo esa información aquí

Try at your airline office
Trái at yor érlain ófis
Pruebe en el mostrador de su compañía aérea

En el control de pasaportes el agente de policía dice...

This way, please
Dis uéi, plis
Por aquí, por favor

Wait here, please
Uéit jíe, plíis
Espere aquí, por favor

One at a time, please
Uán at a táim, plíis
Pasen de uno de uno, por favor

Stay in a line, please
Stéi in a láin, plíis
Hagan una fila, por favor

You can go now
Yu can góu náu
Ya puede pasar

May I see you passport/identity card, please?
Méi ái si yor pásport/aidéntiti card, plis?
¿Me enseña su pasaporte/carnet de identidad, por favor?

Where are you travelling from?
Uer ar yu trávelin from?
¿Desde donde viajan?

Is this your first time in the UK?
Is dis yor ferst táim in de yu kéi?
¿Es la primera vez que viaja al Reino Unido?

Are you an EU citizen?
Ar yu an i yu sítisen?
¿Es usted ciudadano de la UE?

Is this child yours?
Is dis cháild yors?
¿Es hijo suyo este niño?

Does your child have a
   passport?
Das yor cháild jaf a pásport?
¿Tiene su hijo/a pasaporte?

How long are you staying in
   the UK?
Jáu long ar yu stéin in the yu kéi?
**¿Cuánto tiempo va a quedarse
   en el Reino Unido?**

Where are you staying?
Uer ar yu stéin?
¿Dónde va a alojarse?

En el control de pasaportes el viajero dice...

Vengo de vacaciones
I'm on holiday
Áim on jólidei

Estoy en viaje de negocios
I'm on a business trip
Áim on a bísnes trip

Soy ciudadano de la UE
I am an EU citizen
Ái am an i yu sítisen

Venimos de Valencia, España
We're travelling from Valencia,
   Spain
Uir trável in from valénsia, spéin

Me alojo en el hotel Claridge
I'm staying at the Claridge hotel
Áim stéiin at de clárich joutél

**Mi hijo/a aparece en mi pasa-
   porte**
My child is included in my
   passport
*Mái cháild is inclúded in mái
   pásport*

No tiene pasaporte individual
He/she hasn't got an individual
   passport
*Ji/shi jásent got an indivídual
   pásport*

65

En la aduana el agente de policía dice...

Any goods to declare?
Éni guds tu diclée?
¿Algo que declarar?

Are these your bags?
Ar díis yor bags?
¿Son éstas sus maletas?

Open this bag, please
Óupen dis bag, plis
Abra esta bolsa, por favor

It's all right, thank you
Its olráit, zénkiu
Está bien, gracias

You can close your bag now
Yu can clóus yor bag náu
Ya puede cerrar la bolsa

You cannot bring this article
into the UK
*Yu cánot bring dis ártikel íntu de
yu kéi*
Este artículo no se puede introducir en el Reino Unido

Your vehicle documents, please
Yor véikel dókiuments, plíis
Los documentos de su vehículo, por favor

No smoking in here
Nóu smóukin in jíe
No se puede fumar aquí

Do not leave luggage or personal belongings unattended
*Du not líif láguech óo pérsonal
bilóngins anaténded*
No pierdan de vista su equipaje ni sus objetos personales

En la aduana el viajero dice...

No tengo nada que declarar
Nothing to declare
Názin tu diclér

Esa maleta es mía
That suitcase is mine
Dat sútkeis is máin

66

Esa bolsa no es mía
That bag isn't mine
Dat bag ísent máin

¿Hay algún problema?
Is there a problem?
Is der a problem?

¿Abro la maleta?
Shall I open my suitcase?
Shal ái óupen mái sútkeis?

Estos artículos son de uso personal
These articles are for private use
Díis ártikels ar fóo práivet yus

No lo sabía
I didn't know that
Ái dídent nóu dat

Cuando tiene un problema el viajero dice...

Me he olvidado unas bolsas en el avión/en el barco
I've left some bags on board
Áif left sam bags on bord

¿Cómo puedo recuperarlas?
How can I get them back?
Jáu can ái get dem bak?

Me han perdido la maleta/el equipaje
My suitcase/luggage has been lost
Mái sútkeis/láguech jas bin lost

Me han estropeado la maleta
My suitcase has been damaged
Mái sútkeis jas bin dámechd

Lo siento, pero esto es inaceptable
Sorry, this is unacceptable
Sóri, dis is anakséptabel

Llevo esperando tres horas
I've been waiting for three hours
Áif bin uéitin fóo zri áuers

67

Para describir su equipaje el viajero dice...

Es azul, rígida y con ruedas
It's blue, hard-shell and it's got rolling wheels
Its blu, jard-shel and its got róulin uíils

Es grande, negra, blanda y sin ruedas
It's a big, black, soft-shell suitcase, with no wheels
Its a big, blak, soft-shel sútkeis, uiz nóu uíils

Es una bolsa grande de color rojo, con asas
It's a big red bag, with handles
Its a big red bag, uiz jándels

Es una bolsa pequeña, de cuero marrón
It's a small brown leather bag
Its a smól bráun léde bag

It's got my name and adress on it
Ist got mái néim and adrés ónit
Lleva escritos mi nombre y mi dirección

El empleado dice...

May I see your claim ticket?
Méi ái si yor kléim tíket?
¿Me enseña su localizador de equipaje?

You have to fill out a lost luggage form
Yu jaf tu fílaut a lost láguech form
Tiene que completar este formulario de reclamación por pérdida de equipaje

What's your flight number?
Uáts yor fláit námbe?
¿Cuál es su número de vuelo?

What's your ferry route?
Uáts yot féri rut?
¿Cuál es su ruta de transbordador?

Name and address, please
Néim and adrés, plíis
Nombre y dirección, por favor

Can you describe your suitcase?
Can yu discráib yor sútkeis?
¿Puede describir su maleta?

You need to file a report
Yu nid to fail a riport
Debe usted presentar una queja por escrito

Here's your claim number
Jíers yor kleím námbe
Éste es su número de reclamación

We have tracked your luggage
Uí jaf trákd yor láguech
Hemos localizado su equipaje

It was sent to the wrong airport
It uos sent tu de rong érport
Ha sido enviado a otro aeropuerto por error

It will be here in a few hours
It wil bi jíe in a fiú áuers
Llegará en unas horas

In which hotel are you staying?
In uich joutél ar yu stéein?
¿En qué hotel se aloja?

Sorry for the inconveniences
Sóri fóo de inconvínienses
Sentimos las molestias

You'll have your suitcase sent to your hotel
Yul jaf yor sútkeis sent tu yor jóutel
Su maleta le será enviada a su hotel

It will be there before tomorrow
It wil bi déa bifó tumórou
Llegará antes de mañana

Formulario de reclamación de pérdida de equipaje

First name	**Nombre**
Last name	**Apellido**
Street Address	**Dirección**
Town or City	**Ciudad/Población**
Postcode	**Código postal**
Country	**País**
Telephone number	**Número de teléfono**
Date lugagge was lost	**Fecha de la pérdida de equipaje**

Departure Airport	**Aeropuerto de salida**
Airline	**Compañía aérea**
Flight Number	**Número de vuelo**
Destination Airport	**Aeropuerto de destino**
Number of checked-in bags	**Número de maletas facturadas**
Number of bags collected on arrival	**Número de maletas recogidas al llegar**
Bagagge Tag Receipt Number	**Número de identificación de la maleta/ticket de equipaje**
Size of bag	**Tamaño de la maleta**
Colour and style	**Color y tipo**
Approximate purchase cost	**Coste de compra aproximado**
Signature	**Firma**
Date	**Fecha**

El viajero en tránsito dice...

Soy pasajero en tránsito
I'm a transit passenger
Áim a tránsit pássenche

¿Dónde puedo informarme de cuándo llega mi vuelo de conexión?
How can I check what time the flight I am meeting arrives?
Jáu can ái chek uát táim de fláit ái am mítin aráifs?

Voy a Edimburgo
I'm going to Edimburgh
Áim góin tu édinborg

He perdido mi conexión con el vuelo...
I've lost my connexion to flight...
Áif lost mái conékshon tu fláit...

Mi vuelo de conexión ha sido cancelado
My connecting flight has been cancelled
Mái conéctin fláit jas bein cánseld

¿Lleva retraso el vuelo...?
Is flight number... on time?
Is fláit námbe... on táim?

¿Sale hoy algún vuelo para Dublín?
Are there any flights to Dublin today?
Ar der éni fláits tu dáblin tudéi?

¿Cuándo es el próximo vuelo?
When is the next flight?
Uén is de next fláit?

¿Dónde puedo comprar los billetes?
Where do I purchase the tickets?
Uée du ái pércheis de tíkets?

¿Cuánto cuesta cada billete?
How much is each ticket?
Jáu mach is ich tíket?

¿De qué terminal sale?
What terminal does it depart from?
Uát términal das it dipárt from?

¿Cómo hago para cambiar de terminal?
How do I transfer terminals?
Jáu du ái tránsfer términals?

Necesito ir a la terminal 2
I need to go to terminal 2
Ai nid tu góu tu términal tu

¿Puedo ir caminando?
Can I walk?
Cánai uok?

¿Tiene un plano del aeropuerto?
Have you got a airport map?
Jaf yu got an érport map?

CAMBIO DE MONEDA

billetes	banknotes/notes	*bánknouts/nóuts*
cambiar	to change	*tu chéinch*
cambio	change	*chéinch*
dinero	money	*máni*
divisas	currency	*cárensi*
dólares americanos	american dollars	*américan dólars*
euros	euros	*yúros*
firma	signature	*sígnachor*
firmar	to sign	*tu sáin*
libra esterlina	sterling pound/pound	*stérlin páund/páund*

71

monedas	coins	*cóins*
monedas de baja denominación	small change	*smól chéinch*
recibo	receipt	*risít*

En la oficina de de cambio de moneda el viajero dice...

¿Cuál es la tasa de cambio?
What is the exchange rate?
Uát is the exchéinch réit?

Quisiera cambiar 100 euros a libras
I would like to change 100 euros into pounds
Ai wud láik to chéinch uán jándred yuros íntu páunds

¿Cuál es la comisión?
What is the commission?
Uát is de comíshon?

¿Hay un mínimo/máximo?
Is there a minimum/maximum?
Is der a mínimom/máximom?

¿Puedo cambiar dinero con la tarjeta de crédito?
Can I change money with my credit card?
Cánai chéinch máni uiz mái crédit card?

¿Puede darme billetes más pequeños?
Could you give me smaller notes?
Cud yu gif mi smóle nóuts?

¿Y alguna moneda también?
And some coins, too?
And sam cóins, túu?

En la oficina de cambio de moneda el empleado dice...

How can I help you?
Jáu can ái jelp yu?
¿En qué puedo ayudarle?

Which currency?
Uich cárensi?
¿Qué moneda?

How much money would you like to change?
Já mach máni wud yu láik tu chéinch?
¿Cuánto dinero desea cambiar?

The exchange rate is...
Di exchéinch réit is...
La tasa de cambio es...

The commission is...
De comíshon is...
La comisión es...

Would you like large or small notes?
Wud yu láik larch or smól nóuts?
¿Quiere billetes grandes o pequeños?

Here you are
Jíe yu ar
Aquí tiene

Sign here, please
Sáin jíe, plíis
Firme aquí, por favor

■ POR GRAN BRETAÑA ■

La mayor empresa de autocares del país es National Express. El viaje suele ser más barato que en tren, pero la duración es mayor y los servicios a las zonas rurales apartadas son caros y escasos, por lo que en estos casos puede resultar más recomendable alquilar un coche. Si elige esta opción, la dificultad estriba en conducir por la izquierda. Las autopistas **(motorway)** llevan la letra M y un número que las identifica. Las carreteras principales, normalmente autovías de dos carriles **(carriage way),** llevan la letra A, y las carreteras secundarias la B.

La compañía ferroviaria British Rail conecta todo el país, y es una bonita forma de recorrerlo. Se aconseja comprar el billete con antelación.
El avión es recomendable para trayectos largos, como puede ser de Londres a Escocia.
Si se desea visitar la ciudad en autobús hay que informarse de los abonos existentes, que se adquieren en los **Newsagents,** donde venden prensa.
Londres, Glasgow y Newcastle cuentan con una red de Metro. El taxi es otra alternativa, más cara pero cómoda, aunque puede resultar rentable para grupos de 4 o 5 personas.

■ POR ESTADOS UNIDOS ■

Más de una docena de compañías aéreas ofrecen vuelos nacionales. Una opción para conseguir buenas ofertas son los cupones de prepago Visit USA (VUSA), sobre todo si se van a realizar entre 3 y 10 vuelos nacionales. Se compran antes de llegar al país y se canjean en la misma compañía con la que se ha realizado el vuelo internacional.

Si se opta por el coche, muchas compañías aéreas y agencias de viajes ofrecen paquetes **fly & drive,** que combinan los vuelos y el alquiler del coche, y el precio conjunto resulta más barato.

La compañía de autobuses Greyhound Lines cubre todas las ciudades importantes del país que reciben vuelos nacionales e internacionales, así como numerosas localidades más pequeñas.

En Estados Unidos cada vez se utiliza menos el tren. Aun así, Amtrak, la red ferroviaria nacional, ofrece una pequeña y agradable red de rutas de largo recorrido. A pesar de las limitaciones y los horarios, realizar un viaje en un tren panorámico es una experiencia inolvidable.

■ EN AUTOBÚS ■

autobús	bus	*bas*
asiento	seat	*síit*
autocar	coach	*cóuch*
autobús de dos pisos	double decker bas	*dábel déke bas*
bajar	to get off	*tu get of*
billete	bus ticket	*bas tíket*
bonobús	Bus & Tram pass	*básan tram pas*
conductor	driver	*dráive*
revisor	conductor	*condákto*
ruta/trayecto	bus route	*bas rut*
parada	bus stop	*bas stop*
tarifa	fare	*fée*

El viajero dice...

¿A qué hora sale el autobús para...?
What time does the bus for... leave?
Uát táim das de bas fóo... lif?

¿Qué autobús va a...?
Which bus goes to...?
Uich bas góus tu...?

¿Donde está la parada del autobús número 5?
Where is number 5 bus stop?
Uér is námbe fáif bas stop?

¿A qué hora es el próximo autobús para...?
What time is the next bus to...?
Uát táim is de next bas tu...?

¿Para en...?
Does it stop in...?
Das it stop in...?

¿Qué autobuses van a Westminster?
Which buses go to Westminster?
Uich báses góu tu wéstminste?

Dos billetes, por favor
Two tickets, please
Tu tíkets, plíis

Voy a Picadilly Circus
I'm going to Picadilly Circus
Áim góin tu picadíli sérkes

¿Hemos pasado ya Leicester Square?
Have we passed Leicester Square?
Jaf uí pasd léste skué?

¿Puede decirme dónde tengo que bajarme?
Can you tell me where to get off?
Can yu tel mi uée to get of?

¿Puede avisarme cuando lleguemos a...?
Can you please tell me when we arrive at/to...?
Can yu plis tel mi uén uí aráif at/tu...?

El conductor/revisor dice...

Buses 3, 11 and 45 go to Westminster
Báses zri, iléven and fórti fáif góu tu wéstminste
Los autobuses 3, 11 y 45 van a Westminster

Where to? Where are you going?
Uée tu? Uér ar yu góin?
¿Dónde va?

77

Tickets, please
Tíkets, plis
Billetes, por favor

This ticket isn't valid
Dis tíket ísent válid
Este billete no sirve

Get off at the next stop
Gétof at de next stop
Bájese en la próxima parada

I haven't got any change
Ái jávent got éni chéinch
No tengo cambio

You're in the wrong bus
Yor in de rong bas
Se ha equivocado usted de autobús

■ EN AVIÓN ■

aeropuerto	airport	*érport*
asiento de pasillo	aisle seat	*áil síit*
asiento de ventana	window seat	*úindou síit*
avión	plane/aircraft	*pléin/ércraft*
azafata	stewardess	*stiúedes*
cinturón de seguridad	safety belt/belt	*séifti belt/belt*
compañía aérea	airline	*érlain*
condiciones meteorológicas	weather conditions	*uéde condíshons*
facturación	check-in	*chek in*
mostrador	desk	*desk*
número de asiento	seat number	*síit námbe*
pantallas electrónicas	information screens	*informéishon skríns*
piloto	pilot	*páilot*
puerta de embarque	boarding gate	*bórdin géit*
sala de espera	waiting room	*uéitin rum*
tarjeta de embarque	boarding card	*bórdin card*
tripulación	crew	*cru*
vuelo	flight	*fláit*

| vuelo cancelado | cancelled flight | *cánseld fláit* |
| vuelo retrasado | delayed flight | *diléid flait* |

LETREROS DE UTILIDAD

Arrivals	Llegadas
Boarding Gates	Puertas de embarque
Connection	Conexión
Check-in	Facturación
Departures	Salidas

El viajero dice...

¿Cómo puedo ir al aeropuerto?
How can I get to the airport?
Jáu can ai get tu di érport?

¿Cuanto retraso lleva el vuelo?
How long will the flight be delayed?
Jáu long uil de fláit bi diléid?

¿Cuál es la puerta de embarque para el vuelo 505?
Which (boarding) gate for flight number 505?
Uich (bórdin) guéit fo fláit námbe fáif óu fáif?

Querría un asiento de ventana/ pasillo
I'd like a window/aisle seat
Áid láik a úindou/áil síit

¿Dónde puedo facturar para el vuelo...?
Where can I check-in for flight...?
Uée can ái chek in fóo fláit...?

79

El auxiliar de vuelo dice...

How many bags/suitcases?
Jáu méni bags/sutkéises?
¿Cuántas maletas lleva?

Any hand luggage?
Éni jand láguech?
¿Lleva equipaje de mano?

Window or aisle seat?
Úindou or éil síit?
¿Asiento de ventana o de pasillo?

Please fasten your seat belt
Plis, fásen yor síit belt
Por favor, abróchese el cinturón

Passengers for flight number 242 to Edimburgh, please proceed to gate number 10
Pásenchers fóo fláit námbe tu fóo tu tu édimberg, plis prosíid tu guéit námbe ten
Pasajeros del vuelo 242 con destino a Edimburgo, por favor embarquen por la puerta 10

This fight has been delayed/cancelled
Dis fláit jas bin diléid/cánseld
Este vuelo lleva retraso/se ha cancelado

■ EN BARCO ■

ancla	anchor	*ánke*
bodega	hold	*jóuld*
camarote	cabin	*cábin*
crucero	cuise	*crus*
cubierta	deck	*dek*
desembarcar	to disembark	*tu disembárk*
embarcadero	pier	*píe*
embarcar	to board	*tu bord*
escalas	port calls	*port cols*
hamaca	deck chair	*dek chée*
lago	lake	*léik*

mar	sea	síi
muelle	dock/quay	dok/kíi
paseo en barco	boat cruise/trip	bóut crus/trip
popa	stern	stern
proa	bow	bóu
puente	bridge	brich
puerto	port/harbour	port/járbo
río	river	ríve
Támesis	Thames	tems
travesía	crossing	crósin

El viajero dice...

¿Hay paseos en barco por el río?
Are there boat cruises/trips on the river?
Ar dée bóut crúses/trips on de ríve?

Quisiera alquilar una barca
I'd like to hire a boat
Áid láik tu jáie a bóut

Querría un camarote de primera clase, por favor
I'd like a first-class cabin, please
Áid láik a ferst clas cábin, plíis

¿A qué hora sale el barco para...?
What time does the boat to... leave?
Uát táim das de bóut tu... líif?

¿Tiene algo contra el mareo?
Have you got something for sea sickness?
Jaf yu got sámzin fóo si síknes?

¿De qué muelle salen los barcos para...?
What quay do boats for... sail from?
Uát kíi du bóuts fóo... séil from?

81

El empleado/miembro de la tripulación dice...

You have to be at the port two hours before departure
Yu jaf tu bi at de port tu áuers bifóo depárche
Tiene que estar en el puerto dos horas antes de la salida

Boats leave from pier 7 every half hour
Bóuts líif from píe séven évri jaf áue
Los barcos salen del embarcadero nº 7 cada media hora

We're about to heave anchor
Uír abáut to jif ánke
Estamos a punto de levar anclas

Mind your step
Máind yor step
Cuidado al bajar/al subir

We're coming into the harbour
Uír cámin íntu de járbo
Estamos entrando en puerto

I'll show you to your cabin
Áil shóu yu tu yor cábin
Les acompaño a su camarote

■ EN BICICLETA

cadena	chain	*chéin*
casco	helmet	*jélmet*
frenos	brakes	*bréiks*
luces traseras/ delanteras	front/rear lights	*front/ríe láits*
manillar	handlebar	*jándelbaa*
marchas	gears	*guíers*
peatón	pedestrian	*pedéstrian*
pinchazo	puncture	*pánkche*
rueda	wheel	*uíil*
timbre	bell	*bel*

El viajero dice...

Quisiera alquilar una bicicleta
I'd like to rent/hire a bike
Áid láik tu rent/jáie a báik

¿Este precio es por hora o por día?
¿Is this price per hour or per day?
Is dis práis pe áue o pe dái?

Se me ha pichado una rueda
I've had a puncture
Áif jad a pánkche

¿Tienen asientos para niños?
Have you got child seats?
Jaf yu got cháild síits?

■ EN COCHE ■

acelerador	accelerator pedal	*akseleréito pédal*
aparcamiento	car park	*cáa park*
asiento del conductor	driver's seat	*dráivers síit*
asiento del copiloto	passenger's seat	*pásenchers síit*
asiento trasero	back seat	*bak síit*
atasco	traffic jam	*tráfic yam*
autopista	motorway	*mótouei*
autovía	carriageway	*cárriech uéi*
bajar/subir la ventanilla	roll down/up the window	*rol dáun/ap de úindou*
caja de cambios	transmision	*transmíshon*
calle	street/road	*strit/róud*

callejero	street map	*strit map*
carnet de conducir	driving license	*dráivin láisens*
ceder el paso	to give way	*tu gif uéi*
cruce	crossroads	*crósrouds*
depósito	fuel tank	*fíuel tank*
embrague	clutch	*clách*
espejo retrovisor	rear view mirror	*rié viú miro*
exceso de velocidad	speeding	*spíidin*
faros	headlights	*jedláits*
freno	brake	*bréik*
gasoil	diesel	*dísel*
gasolina	petrol	*pétrol*
gato	jack	*yak*
grúa	breakdown van	*bréikdaun van*
intermitente	indicator	*indikéito*
límite de velocidad	speed limit	*spíd límit*
llave	key	*kíi*
luces de emergencia	hazard warning lights	*jásard uórnin láits*
marcha atrás	reverse gear	*rivérs guíe*
marcha	gear	*guíe*
motor	engine	*ényin*
multa	fine	*fáin*
pagar	to pay	*tu péi*
papeles del coche	car documents	*cáa dókiuments*
paso a nivel	level crossing	*lével crósin*
paso de peatones	pedestrian crossing	*pedéstrian crósin*
peaje	toll	*tol*
pinchazo	flat tyre	*flat táir*
rotonda	roundabout	*ráundabaut*
rueda	wheel	*uíil*
rueda de repuesto	spare wheel	*spér uíil*
seguro	insurance policy	*inshórans pólisi*
semaforo	traffic light	*tráfik láit*
tarifa	fee	*fíi*

test de alcoholemia	breath test	*brez tésl*
tráfico	traffic	*tráfic*
tubo de escape	exhaust pipe	*exóst páip*
velocidad	speed	*spíid*
ventanilla	window	*úindou*
volante	steering wheel	*stírin uíil*

LETREROS DE UTILIDAD

All Directions	Todas las direcciones
Bad Surface	Firme en mal estado
Bends in the next 10 miles	Curvas en las 10 millas siguientes
Bypass	Circunvalación
Car Wash	Lavado automático
Caution	Precaución
Danger	Peligro
Diversion	Desvío
Keep to the right	Manténgase a la derecha
No entry	Prohibido el paso
No overtaking	Prohibido adelantar
No parking	Prohibido aparcar
One way traffic	Dirección única
Petrol/Service station	Gasolinera/Estación de servicio
Restricted parking	Zona de estacionamiento limitado
Road closed	Carretera cortada
Switch on/off lights	Encienda/apague las luces
Toll	Peaje
Yield	Ceda el paso

Quisiera alquilar un coche
I'd like to hire/rent a car
Áid láik tu jái/rent a cáa

¿Cuál es la tarifa por día/semana?
What is the day/week rate?
Uát is de déi/uik réit?

¿Está incluido el seguro?
Is insurance included?
Is inshórans included?

Por favor, ¿para ir a ...?
Please, how do I get to...?
Plíis, jáu do ái get tu...?

¿Cuál es la mejor ruta para ire a...?
Which is the best way to get to...?
Uích is de best uéi tu get tu...?

¿Donde está la próxima gasolinera?
Where is the next petrol/filling station?
Uér is de next pétrol/fílin stéishon?

Lleno, por favor
Fill it up, please
Fílit ap, plis

¿Puedo aparcar aquí?
Can I park here?
Can ái park jíe?

Se me ha averiado el coche
My car has broken down
Mái cáa jas bróuken dáun

Se me ha pinchado una rueda
I have a flat tyre
Ái jaf a flat táir

Me he quedado sin gasolina
I've run out of petrol
Áif ran aút of pétrol

Me he quedado sin batería
The battery is flat
De báteri is flat

No me arranca el coche
My car won't start
Mái cáa wóunt start

El empleado dice...

Take the second turning on
   your left
Téik de sécond térnin on yóo left
**Tome el segundo desvío a la
   izquierda**

Keep straight on
Kíip stréit on
Siga recto

Turn right on the next crossroad
Tern ráit on de next crósroud
**Gire a la derecha en el próximo
   cruce**

We have to send for spare parts
Uí jaf tu send fóo spée parts
**Tenemos que pedir las piezas
   de repuesto**

Your car is repaired
Yor car is ripérd
Su coche ya está arreglado

There's an oil leak
Ders an óil lik
Está perdiendo aceite

desplazamientos

El agente de policía de tráfico dice...

Pull over here, please
Pul óuve jíe, plis
Detenga el coche, por favor

May I see your driving licence/
   insurance certificate?
*Méi ái si you dráivin láisens/
   inshórans sertífikeit?*
**¿Me enseña su carnet de con-
   ducir/los papeles del seguro?**

■ EN METRO

andén	platform	*plátform*
descuentos	travel discounts	*trável díscaunts*
escaleras mecánicas	escalator	*escaléitóo*

87

estación de metro	underground/ tube station	*ándergraund/tiúb stéishon*
horario	timetable	*táimteibol*
línea (de metro)	line	*láin*
metro	underground/tube	*ándergraund/tiúb*
metrobús	travel card	*trável card*
parar	to stop	*tu stop*
picar/validar el billete	to validate the ticket	*tu válideit de tíket*
retraso	delay	*diléi*
torniquete	turnstile	*térnstail*
túnel	tunnel	*tánel*

El viajero dice...

¿Qué línea va a...
Which line goes to...?
Uich láin góus tu...?

Dos billetes para la Zona I, por favor
Two tickets for Zone I, please
Two tíkets fóor sóun I, plíis

¿Cuál es la próxima estación, por favor?
Which is the next station, please?
Uich is de next stéishon, plíis?

¿Tengo que hacer transbordo?
Do I have to change trains?
Du ái jaf tu chéinch tréins?

¿Puede darme un plano del metro?
Can I have a tube/underground map?
Cán ái jaf a tiúb/ánderground map?

Dos bonobuses, por favor
Two travelcards, please
Tu trávelcards, plíis

El empleado dice...

Go to platform 6
Góu tu plátform six
Vaya al andén número 6

Next stop, Charing Cross
Next stop, chárin cros
Próxima parada, Charing Cross

Mind the gap
Máind de gap
Cuidado con la distancia entre el tren y el ánden

Line 3 is suspended between...
Láin zri is sespénded bituín...
El trayecto de la línea 3 está suspendido entre las estaciones de...

■ EN TAXI

conductor	driver	*dráive*
libre	vacant	*véicant*
ocupado	occupied	*ókiupaid*
parada taxi	taxi rank	*táxi rank*
propina	tip	*tip*
recibo	recept	*risít*
taxi	taxi/cab	*táxi/cab*
taxímetro	meter	*míta*

El viajero dice...

A Oxford Circus, por favor
To Oxford Circus, please
Tu óxford sérkes, plíis

¿Cuál es la tarifa para el aeropuerto de Heathrow?
What is the fare to Heathrow Airport
Uát is de fée to jízrou erpórt?

89

¿Está el equipaje incluido en el precio?
Is luggage included in the price?
Is láguech inclúded in de práis?

¿Puede parar aquí, por favor?
Can you let me off here, please?
Can yu létmi of jíe, plíis?

¿Puede esperar un momento, por favor?
Can you wait a moment, please?
Can yu uéit a móment, plíis?

¿Cuánto es?
How much is it?
Jáu mach ís it?

Quédese con el cambio
Keep the change
Kíip de chéinch

¿Me da un recibo?
Can I have a receipt?
Cán ái jav a risít?

EN TREN

billete de ida y vuelta	return ticket	*ritérn tíket*
billete sencillo/de ida	single/one way ticket	*síngel/uán uéi tíket*
estación de cercanías	rail station	*réil stéishon*
inspector	inspector	*inspékto*
litera	berth	*berz*
máquinas de venta de billetes electrónica	ticket vending machine	*tíket véndin mashín*
tren con coche cama	sleeper	*slíipe*
tren de alta velocidad	high speed train	*jái spíid tréin*
tren de cercanías	local train	*lóucal tréin*
vagón restaurante/ cafetería	buffet car	*buféi cáa*

LETREROS DE UTILIDAD

Buffet	Cafetería
Departures	Salidas
Emergency Brake	Freno de emergencia
Platform	Andén
Subway	Paso subterráneo

El viajero dice...

Un billete de ida para Cambridge, por favor
A single ticket to Cambridge, please
A síngel tíket tu kémbrich, plíis

Quisiera una litera individual
I'd like a single berth
Áid láik a síngel berz

¿Este tren va directo?
Is this train direct?
Is dis tréin dairékt?

¿A qué hora llega a...?
At what time does it arrive in Liverpool?
At uát táim das it aráif in líverpul?

¿Hay vagón restaurante/cafetería?
Does it have a buffet car?
Das it jaf a buféi cáa?

¿Puede despertarme antes de que lleguemos a...?
Can you wake me up before we arrive at...?
Can yu uéik mi ap bifór uí aráif at...?

¿Salen de aquí los trenes para Stansted?
Do trains to Stansted leave from here?
Du tréins from stánsted líf from jíe?

91

■ EN GRAN BRETAÑA

La oferta es amplia, desde los grandes hoteles de lujo en las principales ciudades a los **Bed & Breakfast,** casas de propiedad familiar que ofrecen una habitación confortable, pero sin lujos, y desayuno.

No hay que olvidar las **Inn** (posadas), que abundan en todo el país. Generalmente son edificios históricos con decoración tradicional y un ambiente agradable y tranquilo.

Para los que prefieran la acampada, existen numerosos cámpings y aparcamientos para caravanas, que suelen abrir de Semana Santa a octubre.

Una opción que cada vez cuenta con más adeptos es el alquiler de casas completas en unos entornos paradisíacos. Hay una gran oferta en internet.

■ EN ESTADOS UNIDOS

Existen numerosas alternativas. Las mejores cadenas hoteleras internacionales se encuentran en las ciudades más importantes. Las posadas históricas son también una opción de lujo; suelen estar emplazadas en casas o mansiones antiguas restauradas con esmero.

La mayoría de los moteles suelen estar ubicados junto a las principales autopistas. Disponen de menos servicios que los hoteles, pero resultan más económicos y con frecuencia cuentan con piscina, restaurante y zona de juegos infantiles.

Los **Bed & Breakfast** alquilan habitaciones por noche, con desayuno incluido.

Una opción económica son los albergues, ubicados en el centro de las ciudades más importantes, y la mayoría pertenecientes a Hostelling International (HI). No hay que olvidar los cámpings, cuyas tarifas dependen de la ubicación, las instalaciones y la temporada.

LETREROS DE UTILIDAD

Do not disturb	No molestar
Pets allowed/not allowed	Se admiten/no se admiten mascotas
Reception	Recepción
No Vacancies	Completo
Vacancies	Plazas/habitaciones libres
Reserved for customers only	Reservado para clientes
Staff Only	Sólo personal del hotel
Toilets/Restrooms	Aseos

■ VOCABULARIO GENERAL

alojamiento	accomodation	*akomodéishon*
cama	bed	*bed*
cuarto de baño	bathroom	*bázrum*
económico	budget	*báchet*
estancia	stay	*stéi*
habitación con baño	room with en-suite bathroom	*rum uiz ansuít bazrum*
habitación con ducha	room with private shower	*rum uiz práivet sháue*
habitación doble	double room	*dábel rum*
habitación individual	single room	*síngel rum*
huésped	guest	*guest*
IVA	VAT	*vi ei ti/vat*
media pensión	half board	*jaf bord*
pensión completa	full board	*ful bord*
pensión	guesthouse	*guéstjaus*
precio	price/charge	*práis/charch*
queja	complaint	*compléint*
reclamación	claim	*kléim*

VERBOS DE UTILIDAD

abrir	to open	*tu óupen*
alojarse	to stay	*tu stéi*
bajar	to go down	*tu góu dáun*
comprobar	to check	*tu chek*
conectar	to connect	*tu conékt*
confirmar	to confirm	*tu conférm*
dejar (el hotel)	to check-out	*tu chek áut*
dormir	to sleep	*tu slíip*
enchufar	tu plug in	*tu plag in*
estropearse	to break down	*tu bréik dáun*
funcionar	to work	*tu uerk*
llevar	to carry	*tu cári*
marcar (teléfono)	to dial	*tu dáial*
molestar	to disturb	*tu distérb*
reservar	to book/tu make a reservation	*tu buk/tu máik a reservéishon*
subir	to go up	*tu góu ap*
telefonear	to phone	*tu fóun*
traer	to bring	*tu brin*

EN EL HOTEL

agua caliente	hot water	*jot uátu*
agua fría	cold water	*cóuld uáta*
aire acondicionado	air conditioning	*ea condíshonin*
almohada	pillow	*pílou*
almuerzo	lunch	*lanch*
aparcamiento	parking	*párkin*
ascensor	lift	*lift*
bañera	bath	*baz*
bidé	bidet	*bidéi*

botones	porter	*pórte*
calefacción	heating	*jítin*
caja fuerte	safe	*séif*
cama	bed	*bed*
cama supletoria	extra bed	*éxtra bed*
camarera (de hotel)	maid	*méid*
carta	menu	*méniu*
cena	dinner	*díne*
cuenta	bill	*bil*
desayuno	breakfast	*brékfast*
director	manager	*mánache*
ducha	shower	*sháue*
enchufe	socket	*sóket*
garaje	garage	*gárech*
grifo	tap	*tap*
lavabo	sink	*sink*
llave/tarjeta	key/card	*kíi/card*
llegada	check-in	*chekín*
manta	blanket	*blánket*
piscina	swimming pool/pool	*súimin pul/pul*
piscina al aire libre	outdoor pool	*áutdoo pul*
piscina cubierta climatizada	inside heated pool	*insáid jíted pul*
planta	floor	*flóo*
recepción	reception	*resépshon*
recepcionista	receptionist	*resépshonist*
ruido	noise	*nóis*
ruidoso	noisy	*nóisi*
salida	check-out	*chekáut*
salón	lounge	*láunch*
secador de pelo	hair dryer	*jer dráie*
servicio de habitaciones	room service	*rum sérvis*
silencio	silence	*sáilens*

silencioso/a	silent	*sáilent*
terraza	balcony	*bálconi*
toalla	towel	*táuel*
vestíbulo	lobby	*lóbi*
vistas	views	*viús*

■ INSTRUCCIONES PARA USAR EL TELÉFONO ■

Dial 9 for room service
Para el servicio de habitaciones marque el 9

Dial 1 to call the reception
Para recepción marque el 1

For outside calls dial 0 and wait for the tone
Para llamadas externas marque el 0 y espere señal

To call another room dial 2 followed by the room number
Para llamar a otra habitación marque el 2 seguido del número de habitación

Al hacer la reserva el viajero dice...

Quería reservar una habitación doble con baño
I'd like to book a double room with en-suite bathroom
Áid láik tu buk a dábel rum uiz ansuít bázrum

Quería una habitación doble con dos camas
I'd like a twin room
Áid láik a tuín rum

Quería una habitación doble de matrimonio y cama supletoria
I'd like a double room with an extra bed
Áid láik a dábel rum uiz an extra bed

Querría una habitación con vistas al río
I'd like a room with views to the river
Áid láik a rum uiz viús to de ríve

Para dos noches
For two nights
Fóo tu náits

¿Cuánto cuesta la habitación por noche?
What is the charge per night?
Uát is de charch per náit?

¿Está incluido el desayuno?
Is breakfast included?
Is brékfast inclúded?

¿Este precio es con o sin IVA?
Is this price with or without VAT?
Is dis práis uiz or uizáut vat?

¿Hay pensión completa?
Is full-board possible?
Is ful bord pósibel?

¿Admiten mascotas?
Do you allow pets?
Du yu aláu pets?

¿Hay conexión inalámbrica a internet?
Is there wireless internet access?
Is dée uáirles ínternet ákses?

El empleado del hotel dice...

I'm sorry. We have no vacancies
Áim sori. Uí jaf no véicansis
Lo siento. No tenemos habitaciones libres

For how many people?
Fóo jáu méni pípol?
¿Para cuántas personas?

For how many nights?
Fóo jáu méni náits?
¿Para cuántas noches?

What kind of room would you like?
Uát káind of rum wud yu láik?
¿Qué tipo de habitación quiere?

98

Would you like a twin or a
    double room?
*Wud yu láik a tuín or a dábel
    rum?*
**¿Prefiere cama de matrimonio
    o dos camas?**

The charge per night is 98
    pounds
*De charch per náit is náinti éit
    páunds*
**El precio por noche es de 98
    libras**

Plus VAT
Plas vat
Más IVA

Yes, breakfast is included
Yes, brékfast is inclúded
Sí, el desayuno está incluido

Would you like half or full
    board?
Wud yu láik jaf or ful bord?
**¿Desea media pensión o pen-
    sión completa?**

I'm sorry. We don't allow pets
Áim sori. Uí dóunt aláu pets
**Lo siento. No se admiten
    mascotas**

Al llegar al hotel el viajero dice...

¿Tienen habitaciones libres?
Have you got any vacancies?
Jaf yu got éni véicansis?

**Tengo una reserva a nombre de
    Fernández**
I've got a reservation. The name
    is Fernández
*Áif got a reservéishon. De néim is
    fernandez*

¿Tienen camas supletorias?
Is it possible to have an extra
    bed?
Ísit pósibel tu jaf an éxtra bed?

¿Tiene caja fuerte la habitación?
Has the room got a safe?
Jas de rum got a séif?

¿A qué hora es el desayuno?
At what time is breakfast
    served?
At uát táim is brékfast servd?

¿Hay servicio de habitaciones?
Is there room service?
Is dée rum sérvis?

¿Puede alguien llevar nuestro equipaje a la habitación?
Can somebody carry our luggage to our room?
Can sámbodi cári áue láguech tu áue rum?

¿Puede darnos otra llave/tarjeta para la habitación?
Can we have an extra key/card for the room?
Can uí jaf an éxtra ki/card fóo de rum?

¿El hotel cierra por la noche?
Does the hotel close at night?
Das de jóutel clóus at náit?

El empleado del hotel dice...

Welcome to the Carlton Hotel
Uélcam tu de cárlton joutél
Bienvenido/a al hotel Carlton

May I have you passport and a credit card, please?
Méi ai jaf yor pásport and a crédit card, plíis?
Necesito su pasaporte y una tarjeta de crédito, por favor

Write down your full name and address here, please
Ráit dáun yor ful néim an adrés jíe, plíis
Escriba aquí su nombre completo y dirección, por favor

Can you sign here?
Can yu sáin jíe?
¿Puede firmar aquí?

Check-out is before noon
Chékaut is bifóo nun
El día de su marcha deberán dejar la habitación antes de las 12

Breakfast is served between 6 am and 9 am
Brékfast is servd bituín six ei em and náin éi em
El desayuno se sirve entre las seis y las nueve

Here's you key/card
Jíers yor ki/card
Aquí tiene su llave/tarjeta

The porter will show you to
  your room
De pórtee uil shóu yu tu yor rum
**El botones les acompañará a su
  habitación**

Have a pleasant stay
Jaf a plésant stéi
**Les deseamos una feliz
  estancia**

Durante su estancia el viajero dice...

¿Es el servicio de habitaciones?
Is this room service?
Is dis rum sérvis?

**Quisiera un sándwich club y
  una cerveza, por favor**
I'd like to order a sandwich club
  and a bier, please
*Áid láik tu órde a sánduich clab
  and a bíe, plíis*

Quisiera otra almohada/manta
Can I have an extra pillow/
  blanket?
Cánai jav an éxtra pílou/blánket?

**Mi habitación es demasiado
  ruidosa**
My room is too noisy
Mái rum is tu nóisi

**Esto no es lo que habíamos
  reservado**
This is not what we had booked
Dis is not uát uí jad bukd

**¿Sería posible cambiar de
  habitación?**
Would it be possible to change
  rooms?
*Wud it bi pósibel tu chéinch
  rums?*

**No hay agua caliente en la
  habitación**
There's no hot water in my room
Ders nóu jot uáta in mái rum

**No funciona el aire acondicio-
  nado**
The air conditioning isn't
  working
Di ea condísionin ísent uérkin

**¿Puede enviar a alguien a
  arreglarlo?**
Can you send somebody to
  fix it?
Can yu send sámbodi tu fix it?

No me han hecho la habitación hoy

My room hasn't been cleaned today

Mái rum jásent bin clíind tudéi

Quisiera que me despertaran a las 8.00

I'd like a wake up call at 8 am, please

Áid láik a wéikap col at éit ei em, plíis

¿Hay algún mensaje para mí?

Are there any messages for me?

Ar der éni mésaches fóo mi?

¿Pueden subirme el desayuno a la habitación?

Can I have breakfast in my room?

Cánai jaf brékfast in mái rum?

Al marcharse el viajero dice...

Nos vamos mañana

We're leaving tomorrow

Uír lívin tumórou

¿Podría prepararme la cuenta para mañana a primera hora?

Can I have the bill first thing in the morning?

Cánai jaf de bil ferst zing in de mórnin?

¿Puede bajar alguien mis maletas?

Can somebody bring down my suitcases?

Can sámbodi brin dáun mái sútkeises?

¿Me da la cuenta, por favor?

I'd like to check out

Áid láik to chek áut

¿Sería posible dejar la habitación más tarde?

Would it be possible to check out later?

Wud it bi pósibel to chek áut léite?

¿Podemos dejar aquí el equipaje hasta que salga nuestro avión?

Can we leave our luggage here until our flight leaves?

Can ui lif áue láguech jíe ántil áue fláit líifs?

alojamiento

¿Nos puede llamar un taxi?
Can you call us a taxi?
Can yu col as a táxi?

Vamos al aeropuerto
We're going to the airport
Uír góin tu di érport

El empleado del hotel dice...

Anything from the minibar today?
Énizin from de minibár tudéi?
¿Ha tomado algo de minibar hoy?

Here's your bill
Jíers yor bil
Aquí tiene la cuenta

Ha llegado su taxi
Yor táxi is jíe
Your taxi is here

Thank you and have a nice trip home
Zénkiu and jaf a náis trip jóum
Gracias y feliz viaje de regreso

EN EL BED & BREAKFAST

anfitrión	host	*jóust*
anfitriona	hostess	*jóustess*
champiñones	mushrooms	*máshrums*
comedor	dining/breafkast room	*dáinin/brékfast rum*
desayuno a la carta	breakfast on demand	*brékfast on dimánd*
desayuno continental	continental breakfast	*cóntinental brékfast*
huevos fritos	fried eggs	*fráid egs*
huevos revueltos	scrambled eggs	*scrámbeld egs*
mantequilla	butter	*báte*
mermelada	jam	*yam*
salchichas	sausages	*sóseches*
tostadas	toast	*tóust*

alojamiento

103

B&B	Bed and Breakfast
En-Suite Bedrooms	Habitaciones con cuarto de baño privado
Standard Bedroom	Habitaciones con cuarto de baño compartido

alojamiento

El viajero dice...

Quisiera una habitación para dos noches
I'd like a room for two nights
Áid láik a rum fóo tu náits

¿Tiene cuarto de baño la habitación?
Does the room have en-suite bathroom?
Das de rum jaf ansuít bázrum?

¿Podemos ver antes la habitación?
Can we see the room first?
Can uí si de rum ferst?

¿Puedo pagar con tarjeta de crédito?
Can I pay with a credit card?
Cánai péi uiz a crédit card?

Pagaré en metálico
I'll pay cash
Áil péi cash

Aquí está la llave de la habitación
Here's the room key
Jíers de rum ki

El empleado dice...

¿How many beds?
Jáu méni beds?
¿Cuántas camas?

How would you like to pay?
Jáu wud yu káit tu péi?
¿Cómo va a pagar?

Yes, we accept credit cards
Yes, uí aksept crédit cards
Sí, aceptamos tarjetas de crédito

Here's the key to you room
Jíers de ki tu yor rum
Aquí tiene la llave de su habitación

You need to pay a one night deposit
Yu nid to péi a uán náit depósit
Tiene que pagar una noche como fianza

When would you like breakfast?
Uén wud yu láik brékfast?
¿A qué hora le gustaría desayunar?

EN EL CÁMPING

abrelatas	can-opener	*canóupene*
acampar	to camp	*tu camp*
agua potable	drinking water	*drínkin uáta*
alfombrilla aislante	ground sheet	*gráund shit*
barbacoa	barbecue	*bárbekiu*
basura	rubbish	*rábish*
cámping	camping	*cámpin*
caravana	caravan	*cáravan*
carbon	charcoal	*chárcoul*
colchón	matress	*mátres*
lavadora	washing machine	*uóshin mashín*
lavandería	launderette	*londrét*
linterna	torch	*torch*
luz	light	*láit*
mochila	backpack	*bákpak*
nevera portátil	portable cooler	*pórtabel cúlee*
pilas	batteries	*báteris*
plancha	ironing facilities	*áionin fasílitis*
plaza	site	*sáit*
saco de dormir	sleeping bag	*slípin bag*

secadora	spin drier	*spin dráie*
tienda	tent	*tent*

LETREROS DE UTILIDAD

Drinking/non drinking water	Agua potable/no potable
Entrance	Entrada
Showers	Duchas
Toilet blocks	Aseos
No camping here	Prohibido acampar
Washing facilities	Lavadero
Kitchen	Cocina
Waste disposal	Contenedores

El viajero dice...

¿Hay algún camping cerca?
Is there a camping nearby?
Is der a cámpin níabai?

¿Se puede acampar aquí?
Can we camp here?
Can uí camp jíe?

¿Cuál es el precio por persona/ por tienda de campaña/por caravana?
What do you charge per person/ per tent/per caravan?
Uát du yu chárch pée person/pée tent/pée cáravan?

¿Donde están las duchas/los aseos?
Where are the shower/toilet facilities?
Uér ar de sháue/tóilet fasílities?

¿Dónde puedo tirar la basura?
Where do I dump my waste?
Uée du ái damp mái ueist?

¿Dónde puedo comprar pilas?
Where can I buy some batteries?
Uée cánai bái sam báteris?

El empleado del cámping dice...

We have no free sites left
Uí jaf nóu fri sáits left
No nos quedan plazas libres

You have site number 46
Yu jaf sáit námbe fórti six
Su plaza es la número 46

You must leave the site before
noon
Yu mast líif de sáit bifó nun
**Deben dejar su plaza antes de
mediodía**

You must leave 25 pounds as a
deposit
*Yu mast lif tuénti fáif páunds as
a depósit*
**Debe dejar 25 libras como
fianza**

We will return your deposit
when you check-out
*Uí wil ritérn yor depósit uen yu
chek áut*
**Le devolveremos la fianza al
marcharse**

How would you like to pay?
Jáu wud yu láik tu péi?
¿Cómo va a pagar?

Bonfires are not allowed
Bónfairs ar not aláud
Está prohibido hacer fuego

▋ EN UNA CASA PARTICULAR ▋

adosada	semi-detached	*sémi ditáchd*
agencia	agency/state agent	*éiyensi/stéit éiyent*
alquilar	to rent	*tu rent*
apartamento	apartment	*apártment*
ático	attic	*átic*
calefacción	heating	*jítin*
calentador de agua	water heater	*uáta jíte*
campo	countryside	*cáuntrisaid*

casa	house	*jáus*
casera	landlady	*lándleidi*
casero	landlord	*lándlord*
centrico	central	*séntral*
chalé	detached house	*ditáchd jáus*
cocina americana	kitchenette	*kichenét*
cocina	kitchen	*kíchen*
congelador	freezer	*frísee*
cubertería	cutlery	*cátleri*
dormitorio	bedroom	*bédrum*
habitación	room	*rum*
inquilino	tenant	*ténant*
jardín trasero	backyard	*bákiard*
jardín	garden	*gárden*
lavaplatos	dishwasher	*dísh uóshe*
nevera	fridge	*frich*
pinzas (para ropa)	clothes pegs	*klóuzs pegs*
piso	apartment/flat	*apártment/flat*
plancha	iron	*áion*
playa	seaside	*sísaid*
ropa de cama	linen	*línen*
salón	living room	*lívin rum*
servicio de lavandería	laundry service	*lóndri sérvis*
tabla de planchar	ironing board	*áionin bord*
tendedero	clothes line	*clóuzs láin*
terraza	balcony	*bálconi*
toallas	towels	*táuels*
utensilios de cocina	kitchenware	*kítchenwee*
vajilla	dishes	*díshes*

For Rent	Se alquila
For Sale	Se vende
Serviced Apartments	Aparthotel

El viajero dice...

¿Cuántas habitaciones tiene?
How many bedrooms has it got?
Jáu méni bédrums jas it got?

¿Cuántas camas tiene?
How many people can sleep in?
Jáu méni pípol can slip in?

¿Cuánto cuesta el alquiler por un mes/por una semana?
What's the rate for a month/a week?
Uáts de réit fóo a manz/a uik?

¿Cuánto es la fianza?
How much is the deposit?
Jáu mach is de depósit?

Quisiera alquilarlo por dos semanas
I'd like to rent it for two weeks/a fortnight
Áid láik tu rent it fóo tu uiks/a fórtnait

¿Está el apartamento cerca de la playa?
Is the apartment close to the beach?
Is di apartment clóus tu de bich?

¿Es céntrico?
Does it have a central location?
Das it jaf a séntral lokéishon?

¿Hay una estación de metro/ autobús cerca?
Is there a bus/tube station nearby?
Is der a bas/tiúb stéishon níabai?

¿Cuántos pisos tiene?
How many floors are there?
Jáu méni flors ar dée?

¿Tiene vistas al campo?
Has it got views to the countryside?
Jas it got viús tu de cáuntrisaid?

alojamiento

109

¿Es luminoso?
Is it bright?
Is it bráit?

¿Tiene jardín?
Has it got a garden?
Jas it got a gárden?

¿Tiene lavadora?
Has it got a washing machine?
Jas it got a uóshin mashín?

¿Tiene televisión?
Is there a tv set?
Is der a ti vi set?

¿Hay sábanas/ mantas/toallas?
Are there sheets/blankets/
towels?
Ar dée shits/blánkets/táuels?

¿Tengo que llevar mi ropa de cama?
Do I have to bring my own
linen?
Du ai jaf tu brin mái óun línen?

¿Hay vajilla/cubiertos/utensilios de cocina?
Are/Is there dishes/cutlery/
kitchenware?
Ar dée díshes/cátleri/kíchenwee?

¿Tiene calefacción/aire acondicionado?
Has it got heating/air
conditioning?
Jas it got jítin/ea condísionin?

¿Están la luz y el gas incluidos en el precio?
Are electricity and gas included
in the price?
Ar elektrísiti and gas inclúded in de práis?

¿Me puede explicar cómo funciona el calentador?
Can you explain how the water
heater works?
Can yu expléin jáu de uáta jíte uérks?

■ CON NIÑOS ■

biberón	bottle	*bótel*
canguro	babysitter	*báibisite*
cuna	cot	*cot*
instalaciones para niños	children facilities	*chíldren fasílitis*

menú infantil	kid's menu	*kids méniu*
niños bienvenidos	children friendly	*chíldren fréndli*
parque infantil	playground	*pléigraund*
piscina infantil	children's pool	*chíldrens pul*
servicio de canguro	babysitting/child minding service	*béibisitin/cháild máindin sérvis*
silla alta	high chair	*jái chée*

El viajero dice...

Viajo con dos niños pequeños
I'm travelling with two small children
Áim trávelin uiz tu smól chíldren

¿Tienen tarifas especiales para niños?
Do you have special rates for children?
Du yu jaf spéshal réits fóo chíldren?

¿Tienen servicio de canguro?
Is there babysitting service?
Is dée béibisitin sérvis?

¿Hay parque infantil en el hotel/cerca del apartamento?
Is there a playground in the hotel/near the apartment?
Is dér a pláigraund in de joutél/nía di apártment?

Necesito una cuna
I need a cot
Ái nid a cot

¿Puede llamarme a un canguro para esta noche?
Can you call me a babysitter for this evening?
Can yu col mi a béibisite fóo dis ífnin?

Mi hijo está enfermo. ¿Pueden llamar a un médico?
My child is sick. Can you call a doctor?
Mái cháild is sik. Can yu col a dókto?

VIAJEROS DISCAPACITADOS

accesibilidad	accesibility	*aksesibíliti*
discapacitado	disabled	*diséibeld*
discapacitados auditivos	hearing impaired	*jíirin impérd*
discapacitados visuales	visually impaired	*víshuali impérd*
escaleras	stairs	*sters*
escalón	step	*stép*
grúa elevadora	hoist	*jóist*
muletas	crutches	*cráches*
necesidades especiales	special needs	*spéshal nids*
perro guía	guide dog	*gáid dog*
planta baja	ground floor	*gráund flóo*
rampa de acceso	access ramp	*ákses ramp*
silla de ruedas	wheelchair	*uílchee*
usuario de silla de ruedas	wheelchair user	*uílchee iúse*
viajeros con discapacidad	disabled travellers	*diséibeld trávelers*

LETREROS DE UTILIDAD

Blue Badge Parking	Aparcamiento para discapacitados
Step Free Access	Acceso sin escaleras
Wheelchair Friendly/ Wheelchair Accesible	Adaptado para sillas de ruedas

El viajero dice...

Viajo con una persona disca-
pacitada
I'm travelling with a disabled
person
Áim trávelin uiz a diséibeld
pérson

Necesitaré ayuda a mi llegada
I will need some help on my
arrival
Ai wil nid sam jelp on mái aráival

¿Tienen instalaciones para
viajeros discapacitados?
Is this hotel disabled friendly?
Is dis jóutel diséibeld fréndli?

Querría una habitación en la
planta baja, por favor
I'd like a room in the ground
floor, please
Áid láik a rum in de gráund flóo,
plíis

¿Hay ascensor?
Is there a lift?
Is der a lift?

¿Hay rampas de acceso?
Is there ramp access?
Is dée ramp ákses?

¿Hay grúa elevadora para sillas
de ruedas?
Is there a hoist for wheelchairs?
Is der a jóist fóo uílchers?

Viajo con perro guía
I'm travelling with a guide dog
Áim trávelin uiz a gáid dog

¿Habrá algún problema?
Will there be any problem?
Wil der bi éni próblem?

EN EL RESTAURANTE

Tanto Gran Bretaña como Estados Unidos albergan todo tipo de restaurantes. No hay cocina que no se pueda degustar en estos países: italiana, francesa, española, china, tailandesa, japonesa... Toda la gastronomía en los numerosos establecimientos que se encuentran, de manera especial, en sus grandes ciudades.

En Gran Bretaña el servicio suele estar incluido, y si no fuera así, conviene dejar un 15% de propina. En el caso de Estados Unidos el servicio no está incluido, se suele dejar desde un 10% en las cafeterías hasta un 20% o incluso más en los establecimientos más elegantes.

Conviene saber que **dinner** (*díne*) es la comida principal del día, ya se tome por la tarde (hacia las 6.00) o por la noche, mientras que **supper** (*sápe*) es la última comida del día, generalmente más ligera.

VOCABULARIO GENERAL

almuerzo	lunch	*lanch*
aperitivo	snack	*snák*
baguette	baguette	*baguét*
bandeja	tray	*tréi*
bar	bar	*báa*
bebidas	beverages	*bévereches*
bollo de pan	bun/roll	*ban/róul*
botella	bottle	*bótel*
brindar	to make a toast	*tu méik a tóust*
brindis	toast	*tóust*
camarero/a	waiter/tress	*uéite/uéitres*
cambio	change	*chéinch*
carne	meat	*míit*
carrito de postres	sweet trolley	*suít tróli*
carta de vinos	wine list	*uáin list*

carta	menu	*méniu*
celiaco	celiac	*síliac*
cenicero	ashtray	*áshtrei*
cereales	cereal	*sírial*
cerillas	matches	*máches*
chef	chef	*shef*
comedor	dining room	*dáinin rum*
comida	food	*fud*
comida baja en calorías	low-calory food	*lóu cálori fud*
cubertería	cutlery	*cátleri*
cuchara	spoon	*spun*
cuchillo	knife	*náif*
cuenta	bill	*bil*
demasiado	too	*tu*
desayuno	breakfast	*brékfast*
entrante	starter/appetiser	*stárte/ápetaise*
fideos	noodles	*núdels*
fruta	fruit	*frut*
grande (ración)	large	*larch*
huevos	eggs	*egs*
jarra	jug/pitcher	*yag/píche*
maíz	corn	*corn*
mantel	tablecloth	*téibelcloz*
marisco	seafood	*sífud*
media botella	half a bottle	*jaf a bótel*
mesa al aire libre	outside table	*áutsaid téibol*
mesa	table	*téibol*
mucho	a lot/very much	*a lot/véri mach*
palillos	tooth picks	*tuz piks*
pequeño	small	*smól*
pescado	fish	*fish*
platillo	saucer	*sóse*
plato (comida)	dish	*dish*

plato (recipiente)	plate	*pléit*
propina	tip	*tip*
pub	pub	*pab*
ración	portion	*pórshon*
régimen	diet	*dáiet*
restaurante	restaurant	*réstorant*
sabor	taste/flavour	*téist/fléivor*
servilleta	napkin	*nápkin*
silla	chair	*chée*
suficiente	enough	*ináf*
taza	cup	*cap*
tenedor	fork	*fork*
tortilla	omelette	*ómelet*
trigo	wheat	*uit*
vaso/copa	glass	*glas*
vegano	vegan	*vígan*
vegetariano	vegetarian	*veyetéirian*
velas	candle	*cándel*
verduras	vegetables	*véyetabels*

■ VERBOS DE UTILIDAD ■

aliñar	to dress	*tu dres*
comer	to eat	*tu it*
compartir	to share	*tu shée*
cortar	to cut	*tu cat*
dejar propina	to leave a tip	*tu líif a tip*
disfrutar	to enjoy	*tu enyói*
gustar	to like	*tu láik*
invitar	to invite	*tu inváit*
oler	to smell	*tu smél*
pagar	to pay	*tu péi*

pedir (comida o bebida)	to order	*tu órde*
pedir (la cuenta)	to ask for	*tu ask fóo*
pelar	to peel	*tu píil*
preparar	to prepare	*tu pripée*
probar	to taste	*tu téist*
servir	to serve	*tu serf*
trinchar	to carve	*tu cart*

EXPRESIONES HABITUALES

Está demasiado caliente	It's too hot	*Its tu jot*
Está demasiado grasiento	It's too greasy	*Its tu grisi*
Está demasiado picante	It's too spicy	*Its tu spáisi*
Está demasiado seco	It's too dry	*Its tu drái*
Está frío	It's cold	*Its cóuld*
Está muy sabroso	This is really tasty	*Dis is ríli téisti*
Esto no me gusta	I don't like this	*Ái dóunt láik dis*
Esto tiene buen aspecto	This looks good/ delicious	*Dis luks gud/ delíshius*
Estoy a régimen	I'm on a diet	*Áim on a dáiet*
Huele muy bien	It smells good	*It smels gud*
No como carne	I don't eat meat	*Ái dóunt it mit*
No me gusta el pescado	I don't like fish	*Ái dóunt láik fish*
No puedo comer esto	I can't eat this	*Ái cant it dis*
No puedo comer más	I can't eat anything else	*Ái cant it énizin els*
No sabe bien	It does't taste good	*It dásent téist gud*
Nunca como alimentos crudos	I never eat raw food	*Ái néver it róo fúud*
¿Puede pasarme la sal?	Could you pass the salt	*Cud yu pas de solt?*

¿Quieres probar?	Would you like to taste?	*Wud yu láik tu téist?*
¿Quieres que compartamos un postre?	Would you like to share a dessert?	*Wud yu laík tu sher a disért?*
¿Quieres repetir?	A second helping?	*A sékond jélpin?*
Sírvete, por favor	Please, help yourself	*Plíis, jelp yórself*
Soy vegetariano	I'm a vegetarian	*Áim a veyetéirian*

LETREROS DE UTILIDAD

Open	Abierto
Bar	Bar
Breakfast Only	Sólo desayunos
Bufet	Bufé
Café	Café
Children Welcome	Niños bienvenidos
Children's Menu	Menú infantil
Chilled Drinks	Bebidas frías
Closed	Cerrado
Dish of the Day	Plato del día
Licensed Restaurant	Se sirven bebidas alcohólicas
Open	Abierto
Pub Fare	Comida típica de pub
Self-service	Autoservicio
Set Menu	Menú turístico/Menú del día
Smoking/Non Smoking	Fumadores/No fumadores
Snack Bar	Bebidas y aperitivos
Takeaway	Comida para llevar
Todays's Special/s	Especialidad/es del día
Toilets/Restrooms	Aseos
Unlicensed Restaurant	No se sirven bebidas alcohólicas

¿Nos puede recomendar un buen restaurante?
Can you recommend a good restaurant?
Can yu ricoménd a gud réstorant?

Me gustaría probar cocina típica británica
I'd like to try typical British food
Áid láik tu trái típical brítish fúud

Prefiero cocina internacional
I prefer international cuisine
Ái prifée internáshonal cuisín

¿Y un buen restaurante indio?
And what about a nice Indian restaurant?
And uát abáut a náis índian réstorant?

Un restaurante de comida sana
A healthy food restaurant
A jélzi fúud réstorant

Un restaurante de moda
A trendy restaurant
A tréndi réstorant

No demasiado caro
Not too expensive
Not tu expénsif

Un restaurante económico
A budget restaurant
A báchet réstorant

Un restaurante romántico
A romantic restaurant
A romántic réstorant

Algún sitio donde tomar un almuerzo ligero
Someplace to have a light lunch
Sámpleis tu jaf a láit lanch

Un sitio donde comer algo rápido
Someplace to grab a quick bite
Sámpleis tu grab a cuik báit

Un restaurante para ir con niños
A child-friendly restaurant
A cháild fréndli réstorant

Con mesas al aire libre
With outdoor tables
Uiz áutdoo téibols

El viajero dice...

Quisiera reservar una mesa para dos personas para esta noche
I'd like to book a table for two for tonight
Áid láik tu buk a téibol fóo tu fóo tunáit

Para las 8.00
For eight pm
For éit pi em

¿Tienen mesas al aire libre?
Are there outdoor tables?
Ar der áutdoo téibols?

Querríamos un reservado
We'd like a booth
Uíd láik a buz

¿Puede darnos una mesa tranquila, por favor?
Could you give us a quiet table, please?
Cud yu gif as a cuáiet téibol, plíis?

¿Tienen platos vegetarianos?
Do you serve vegetarian dishes?
Du yu serf veyetéirian dishes?

El empleado dice...

Sorry, we're full tonight
Sóri, uír ful tunáit
Lo siento, esta noche estamos completos

For how many people?
Fóo jáu méni pípol?
¿Para cuántas personas?

Very well. Name, please?
Véri uel. Néim, plíis?
Muy bien. ¿A nombre de quién, por favor?

Your reservation is made
Yor reservéishon is méid
Queda reservada la mesa

121

En el restaurante el viajero dice...

Buenas noches, he reservado una mesa para cuatro personas a nombre de Méndez

Good evening. I have booked a table for four people. The name is Méndez

Gud ífnin, ái jaf bukd a téibol fóo fóo pípol. De néim is méndez

Buenas tardes. No tenemos reserva

Good afternoon. We haven't made a reservation

Gud afternún. Uí jávent meíd a reservéishon

¿Tenemos que esperar mucho?

Will we have to wait long?

Wil uí jaf tu uéit long?

¿Está libre esta mesa?

Is this table free?

Is dis téibol fri?

¿Podemos sentarnos aquí?

Can we sit here?

Can uí sit jíe?

Mesa para dos, por favor

Table for two, please

Téibol fóo tu, plíis

¿Puede darnos una mesa lejos de la cocina/de los cuartos de baño?

Could we have a table away from the kitchen/toilets?

Cud uí jaf a téibol auéi from de kíchen/tóilets?

¿Puede darnos una mesa junto a la ventana?

Could we have a table by the window?

Cud uí jaf a téibol bai de uindóu?

¿Nos da la carta?

Can we see the menu?

Can uí si de méniu?

¿Tienen la carta en español?

Do you have the menu in Spanish?

Do yu jaf de méniu in spánish?

Perdone, ¿dónde está el baño?

Excuse me, where are the restrooms?

Exkiús mi, uér áa de réstrums?

¿Nos trae la carta de vinos?

Can we see the wine list?

Can uí si de uáin list?

¿Cuál es la especialidad de la casa?
What's the special?
Uáts de spéshial?

¿Qué nos recomienda?
What do you recommend?
Uát du yu ricoménd?

¿Tienen menú del día?
Have you got a set menu?
Jaf yu got a set méniu?

¿Qué es cottage pie?
What is cottage pie...?
Uát is cótech pái...?

¿Es un plato frío o caliente?
Is it a cold or a hot dish?
Ísit a cóuld or a jot dish?

¿Viene con patatas fritas?
Does it come with chips/fries?
Dásit cam uiz chips/fráis?

¿Lleva ajo este plato?
Does this dish have garlic in it?
Das dis dish jaf gárlic in it?

¿Tienen pescado fresco?
Have you got any fresh fish?
Jaf yu got éni fresh fish?

Quisiéramos pedir ya
We'd like to order now
Uid láik tu órdee náu

Querría...
I'd like...
Áid láik...

Voy a tomar...
I'll have...
Áil jaf...

¿Tienen vino de la casa?
Have you got a house wine?
Jaf yu got a jáus uain?

¿Sirven vino por copas?
Do you serve wine by the glass?
Du yu serf uáin bái de glas?

Tomaré una copa de vino blanco/tinto de la casa
I'll have a glass of house white/red wine
Áil jaf a glas of jáus uáit/red uáin

Queremos media botella de vino
We'd like half a bottle of wine
Uíd láik jaf a bótel of uáin

Tomaré la ensalada, pero sin cebolla
I'll have the salad, but without onion
Áil jaf de sálad, bat uizáut ónion

¿Puede traerme más aliño para la ensalada?
Could I have more salad dressing?
Cud ái jaf mor sálad drésin?

Una jarra de agua, por favor
A jug of water, please
A yag of uáta, plíis

Necesito otro vaso
I need another glass
Ái nid anáde glas

¿Me puede traer otro cuchillo/ tenedor?
Could you bring me another knife/fork?
Cud yu bring mi anóde náif/fork?

Quiero la carne poco/muy hecha
I'd like my meat rare/well done
Áid láik mái mit rer/uel dan

No demasiado picante
Not too spicy
Not tu spáisi

¿Lleva gluten este plato?
Is there gluten in this?
Is dée glúten in dis?

Soy celiaco
I'm a celiac
Áim a síliac

Soy alérgico a..
I'm allergic to...
Áim alérgic tu...

Quisiera un helado. ¿Qué sabores tienen?
I'd like an ice cream. What flavours have you got?
Áid láik an áis crim. Uát fléivors jaf yu got?

¿Tienen fruta fresca?
Have you got any fresh fruit?
Jaf yu got éni fresh frut?

No queremos postre, gracias
No dessert, thank you
Nóu disért, cenkiu

Sólo café, por favor
Just coffee, please
Yast cófi, plíis

¿Me trae otro café, por favor?
Can I have another coffee, please?
Cánai jaf anáde cofi, plíis?

¿Nos trae la cuenta, por favor?
Can we have the bill, please?
Can uí jaf de bil, plíis?

¿Está incluido el servicio?
Is service included?
Is sérvis inclúded?

Si necesita reclamar el viajero dice...

¿Cuánto tiempo más tenemos que esperar?
How much longer will we have to wait?
Jáu mach lónge wil uí jaf tu uéit?

Ya llevamos una hora
It's been an hour already
Its bin an áuer ólredi

¿Puede llevarse este plato? Está crudo
Can you take this back? It's raw
Can yu téik dis bak? Its róo

Esto no es lo que hemos pedido
This is not what we ordered
Dis is not uát uí órderd

La sopa está fría
The soup is cold
De sup is cóuld

Este pescado está malo
This fish is off
Dis fish is of

Disculpe, este bistec está muy hecho, lo pedí poco hecho
Excuse me, this steak is overdone, I ordered rare
Exkíus mi, dis stéik is óuverdan, ái órderd rée

Perdone, pero de guarnición he pedido la ensalada, no las verduras
I'm sorry but I ordered the side salad, not the vegetables
Áim sóri bat ai órderd de sáid sálad, not de véyetabels

Me temo que hay un error en la cuenta
I'm afraid there's a mistake on the bill
Áim afréid ders a mistéik on de bil

Sólo hemos pedido una botella de vino
We only ordered a bottle of wine
Uí óunli órderd a bótel of uáin

¿Hay un libro de reclamaciones?
Is there a complaints book?
Is der u compléints buk?

Quiero hablar con el encargado
I want to speak to the manager
Ái wont tu spik tu de mánache

En el restaurante el camarero dice...

Name, please?
Néim, plíis?
¿Nombre, por favor?

Would you like an indoor or an outdoor table?
Wud yu láik an índoor or an áutdoo téibol?
¿Quieren mesa dentro o fuera?

This way, please
Dis uéi, plíis
Por aquí, por favor

I'll show you to your table
Áil shóu yu tu yor téibol
Les llevaré a su mesa

Follow me, please
Fólou mi, plíis
Síganme, por favor

I'm sorry. You can't sit there
Áim sóri. Yu cant sit déa
Lo siento, pero ahí no pueden sentarse

That table is reserved
Dat téibol is risérfd
Esa mesa está reservada

Sorry. We're about to close
Sóri. Uír abáut tu clóus
Lo siento, estamos a punto de cerrar

The kitchen's already closed
De kíchens ólredy clóusd
La cocina ya ha cerrado

We don't serve any more meals
Wi dóunt serf éni mor míils
Ya no servimos comidas

Your table will be ready in 10 minutes
Yor téibol wil bi rédi in ten mínits
Su mesa estará lista en 10 minutos

You can wait at the bar
Yu can uéit at de bár
Pueden esperar en el bar

Would you like to have a drink in the meantime?
Wud yu láik tu jaf a drink in de míntaim?
¿Quieren beber algo mientras esperan?

Will you be four?
Wil yu bi fóo?
¿Van a ser cuatro?

This is your table
Dis is yor téibol
Ésta es su mesa

Can I take your coats?
Cánai téik yor cóuts?
¿Me dan sus abrigos?

What would you like to drink?
Uát wud yu láik tu drink?
¿Qué quieren beber?

Would you like to hear today's specials?
Wud yu láik tu jíe tudéis spéshials?
¿Quieren que les diga los platos del día?

Are you ready to order?
Ar yu rédi tu órdee?
¿Les tomo nota ya?

The chicken roast is very good
De chíken róust is véri gud
El pollo asado está muy bueno

The roast lamb is our specialty
De róust lam is áue spéshialti
El asado de cordero es nuestra especialidad

Sorry. We haven't got that on the menu
Sóri. Uí jávent got dat on de méniu
Lo siento, no tenemos eso en la carta

How would you like your meat: rare, medium or well done?
Jáu wud yu láik yor mit: réer, mídlum óo uel dán?
¿Cómo quiere la carne: poco hecha, en su punto o muy hecha?

Any side dishes?
Éni sáid díshes?
¿Alguna guarnición?

Anything else?
Énizin els?
¿Algo más?

Would you like some bread?
Wud yu láik sam bred?
¿Tomarán pan?

Have a nice meal/Enjoy!
Jaf a náis míil/Enyói!
¡Que aproveche!

Is everything all right?
Is évrizin ol ráit?
¿Todo bien?

Anything wrong with you food?
Énizin rong uiz yor fud?
¿No le ha gustado? ¿Hay algún problema?

I'm sorry about that, I'll bring you another one
Áim sóri abáut dat, áil bring yu anáder uán
Le pido disculpas, le traeré otro

Can I bring you anything else?
Cánai brin yu énizin else?
¿Desean tomar algo más?

Have you finished?
Jaf yu finíshd?
¿Han terminado?

Any dessert?
Éni disért?
¿Tomarán algo de postre?

Would you like coffee?
Wud yu laík cófi?
¿Tomarán café?

Here's the bill
Jiérs de bil
Aquí está la cuenta

Coffee is on the house
Cófi is on de jáus
Al café les invita la casa

Here's your change
Jiérs yor chéinch
Aquí tiene el cambio

■ VERDURAS, HORTALIZAS Y LEGUMBRES ■

aceituna	olive	*ólif*
aguacate	avocado	*avokéido*
ajo	garlic	*gárlic*
alcachofa	artichoke	*ártichouk*
alubias	beans	*bins*
apio	celery	*séleri*
berenjena	aubergine	*oberyín*
brócoli	broccoli	*brócoli*
calabaza	pumpkin	*pámpkin*
calabacín	courgette	*curyét*
cebolla	onion	*ónion*

champiñón	mushroom	*máshrum*
col	cabbage	*cábech*
coles de bruselas	brussel sprouts	*brásel spráuts*
coliflor	cauliflower	*cóliflaue*
espárrago	asparragus	*aspáragues*
espinaca	spinach	*spínak*
guisantes	peas	*píis*
hoja de roble	oak-leaf lettuce	*óuk lif létes*
judías verdes	green beans	*grin bins*
lechuga	lettuce	*létes*
lentejas	lentils	*léntels*
patata	potato	*potéito*
pepinillo	gherkin	*guérkin*
pepino	cucumber	*kiukámbe*
pimiento rojo	red pepper	*red pépa*
pimiento verde	green pepper	*grin pépa*
puerro	leek	*lik*
rábano	radish	*rádish*
remolacha	beetroot	*bítrut*
tomate	tomato	*toméito*
rúcula	rocket salad	*róket sálad*
zanahoria	carrot	*cárot*

▬ CARNES Y AVES ▬

beicon	bacon	*béicon*
bistec	steak	*stéik*
buey	beef	*bif*
carne picada	minced meat	*máinsd mit*
cerdo	pork	*pork*
chuletas	chops	*chops*
codorniz	quail	*cúeil*

conejo	rabbit	*rábit*
cordero	lamb/moutton	*lam/máton*
faisán	pheasant	*fésant*
filete de cadera	rump steak	*ramp stéik*
filete de lomo	tenderloin steak	*ténderloin stéik*
filete de solomillo	sirloin steak	*sérloin stéik*
gallina	hen	*jen*
ganso	goose	*gúus*
hígado	liver	*líve*
jamón	ham	*jam*
lengua	tongue	*táng*
liebre	hare	*jer*
morcilla	black pudding	*bluk púdin*
pato	duck	*dak*
pavo	turkey	*térki*
perdiz	partridge	*pártrich*
pichon	pidgeon	*pídyon*
pollo	chicken	*chíken*
riñones	kidneys	*kídnis*
salchichas	sausages	*sóseches*
entrecot	ribeye steak	*ríbai stéik*
ternera	veal	*víil*

▨ PESCADOS Y MARISCOS ▨

abadejo	pollack	*pólak*
almeja	clam	*clam*
anchoa	anchovy	*ánchovi*
arenque	herring	*jérin*
atún	tuna	*tiúna*
bacalao	cod	*cod*
calamar	squid	*skuid*

cangrejo	crab	*crab*
gamba	prawn	*pron*
langosta	lobster	*lóbste*
lenguado	sole	*sóul*
lubina	sea bass	*si bas*
mejillón	mussel	*másel*
merluza	hake	*jéik*
ostra	oyster	*óiste*
pescadilla	whiting	*wáitin*
pulpo	octopus	*óctopus*
salmón	salmon	*sáamon*
salmonete	red mullet	*red múlet*
sardina	sardine	*sárdin*
trucha	trout	*tráut*

■ FRUTAS

albaricoque	apricot	*ápricou*
almendra	almond	*áamond*
avellana	hazelnut	*jéiselnat*
cereza	cherry	*chéri*
ciruela	plum	*plam*
frambuesa	raspberry	*ráspberi*
fresa	strawberry	*stróberi*
frutos rojos	berries	*béris*
garbanzos	chick peas	*chik pis*
grosella	gooseberry	*gúsberi*
higo	fig	*fig*
judías verdes	green beans	*grin bins*
kiwi	kiwi	*kíwi*
lima	lime	*láim*

131

limón	lemon	*lémon*
manzana	apple	*ápel*
melocotón	peach	*píich*
melón	melon	*mélon*
mora	blackberry	*blákberi*
naranja	orange	*órench*
nuez	walnut	*uálnot*
pasas	currant	*cárant*
pera	pear	*pée*
piña	pineapple	*páinapel*
piñones	pine nuts	*páin nats*
platano	banana	*banána*
pomelo	grapefruit	*gréipfrut*
sandía	water melon	*uáta mélon*

ESPECIAS Y ALIÑOS

aceite	oil	*óil*
aceite de oliva	olive oil	*ólif óil*
albahaca	basil	*béisil*
alcaparras	capers	*kéipers*
aliño para ensalada	salad dressing	*sálad drésin*
canela	cinnamon	*sínamon*
cebollino	chive	*cháif*
cilantro	coriander	*coriánde*
clavo	clove	*clóuf*
curry	curry	*kéri*
especias	spices	*spáises*
estragón	tarragon	*táragon*
gengibre	ginger	*yínye*
laurel	bay	*béi*
mayonesa	mayonnaise/mayo	*máiones/máio*

menta	mint	*mint*
mostaza	mustard	*mástard*
nuez moscada	nutmeg	*nátmeg*
orégano	oregano	*origáinou*
perejil	parsley	*pársli*
pimentón	paprika	*púprika*
pimienta	pepper	*pépa*
romero	rosemary	*róusmeri*
salvia	sage	*séich*
tomillo	thyme	*táim*
vinagre	vinegar	*vínega*
vinagreta	vinaigrette	*vínagret*

PREPARACIONES

a la parrilla	chargrilled	*chárgrild*
a la plancha	grilled	*grild*
ahumado	smoked	*smóukd*
asado	roasted	*róusted*
cocido	boiled	*bóild*
crudo	raw	*róo*
demasiado hecho	overdone	*óuverdan*
empanado	in breadcrumbs	*in brédcrambs*
en rodajas/rebanadas	sliced	*sláisd*
en su punto	medium	*mídium*
estofado	stewed	*stiúd*
frito	fried/deep-fried	*fráid/dip fráid*
grasiento	greasy/oily	*grísi/óili*
gratinado	browned	*bráund*
marinado	marinated	*marinéited*
muy hecho	well done	*uél dan*
poco hecho	rare	*rée*

133

salteado	sautéed/stir-fried	*sotéd/ster fráid*
seco	dry	*drái*
sin nada, sin aderezo	plain	*pléin*

■ VARIOS ■

arroz	rice	*ráis*
azúcar	sugar	*shúga*
azúcar moreno	brown sugar	*bráun shúga*
caliente	hot	*jot*
casero	homemade	*jóummeid*
congelado	frozen	*fróusen*
cubito de hielo	ice cube	*áis kiúb*
edulcorante	sweetener	*súitene*
encurtidos	pickles	*píkels*
ensalada	salad	*sálad*
entrantes	starters	*stárters*
entremeses	hors d'oeuvres	*or durvs*
fresco	fresh	*fresh*
frío	cold	*cóuld*
galleta	biscuit	*bískit*
gelatina	jelly	*yéli*
guarnición	side dish	*sáid dish*
hielo	ice	*áis*
salsa/jugo	gravy	*gréivi*
malo/en mal estado	off	*of*
mantequilla	butter	*báte*
molinillo de pimienta	pepper mill	*pépa mil*
pan	bread	*bred*
pan blanco	white bread	*uáit bred*
pan integral	whole bread	*jóul bred*
pasta	pasta	*pásta*

pastelería	pastry	*pástri*
plato principal	main course	*méin corse*
postre dulce	pudding	*púdin*
postre	dessert	*disért*
primer plato	first course	*ferst cors*
queso	cheese	*chíis*
queso curado	mature cheese	*machiú chíis*
queso rallado	grated cheese	*gréited chíis*
rancio	stale	*stéil*
rebanada	slice	*sláis*
relleno	stuffed	*stáfd*
sal	salt	*solt*
salero	salt cellar	*solt séla*
salsa	sauce	*sos*
sopa	soup	*sup*
sorbete	sherbet	*shérbet*
templado	warm	*worm*
tentempié	snack	*snák*

SABORES

agridulce	sweet and sour	*suít and sáue*
agrio	sour	*sáue*
amargo	bitter	*bíte*
dulce	sweet	*suít*
picante	hot/spicy	*jot/spáisi*
sabroso	tasty	*téisti*
salado	salty	*sólti*
soso	flavourless	*fléivorles*
suave	mild	*máild*

STARTERS - PRIMEROS PLATOS
baked beans on toast
alubias guisadas con tomate sobre tostada de pan

baked field mushroom stuffed with blue stilton and herbs
champiñones silvestres al horno rellenos de queso azul stilton
   y hierbas

black pudding on a potato cake with apple sauce
morcilla sobre pastel de patata y servida con puré de manzana

cauliflower soup
sopa de coliflor

char-grilled vegetables marinated in extra virgin olive oil,
   sundried tomatoes and pesto
verduras a la parrilla marinadas en aceite de oliven virgen extra,
   tomates desecados y pesto

chicken broth
caldo espeso de pollo

courgette and lentil gratin
gratinado de calabacines y lentejas

deep-fried potato skins with cheese, bacon and sour cream
pieles de patata fritas con queso, beicon y crema agria

duck confit terrine
tarrina de confit de pato

red orange and endive salad
ensalada de endivias y naranja sanguina

severn & wye oak smoked salmon
salmón ahumado con alcaparras y berros servido en pan de centeno

spicy bean soup
sopa picante de alubias

stuffed aubergines
berenjenas rellenas

turnip and bacon soup
sopa de nabos y beicon

PLATOS PRINCIPALES

MAIN COURSES - PLATOS PRINCIPALES
baked hake with parsley sauce
merluza al horno con salsa verde

beef carpaccio with rocket, olive oil, lemon juice and parmesan
   shavings
carpaccio de buey con rúcula, aceite de oliva, zumo de limón y
   virutas de parmesano

beef stew with mushrooms
estofado de ternera con champiñones

braised beef
ternera estofada

broiled duck
pato al horno

bubble and squeak
carne de cerdo con patatas y col

char-grilled tiger king prawns with garlic butter and tomato &
chilli sauce
langostino tigre a la parrilla con mantequilla de ajo y salsa de
tomate picante

char-grilled tuna with tomatoes, feta and black olives, lime &
oregano dressing
atún a la parrilla aderezado con tomates, queso feta, aceitunas
negras y un aliño de lima y orégano

chicken and mushroom pie
pastel de pollo y champiñones

chicken cordon bleu served with a potato gratin and mustard
cream sauce
pollo empanado y relleno de jamón y queso servido con gratén
de patatas y salsa cremosa de mostaza

curried chicken with sauteed onions and diced tomatoes served
with coconut rice
pollo al curry con cebollas salteadas y dados de tomate servido
con arroz al coco

fillet of sea bass with steamed mussels
filete de lubina con mejillones al vapor

fish pie
pastel de pescado

grilled Dover sole
lenguado de Dover a la plancha

grilled hake
merluza a la plancha

grilled ribeye steak
entrecot a la plancha

herb-roasted beef tenderloin con with bordelaise sauce served
   with herb roasted new potatoes and a ragout of summer squash
filete de lomo de buey asado a las hierbas servido con salsa de
   tuétano, patatas nuevas y menestra de verduras de verano

lamb casserole
estofado de cordero

lamb cutlets marinated in lemon, garlic, olive oil and rosemary
chuletas de cordero marinadas en limón, ajo, aceite de oliva y
   romero

pesto chicken strips served with aromatic cous-cous and
   marinated grilled tomatoes
tiras de pollo al pesto servidas con cuscús aromatizado y tomates
   marinados y asados

pork tenderloin stuffed with red pepper, spinach and goat cheese
   served with sweet potatoes and braised red cabbage
filete de lomo de cerdo relleno con pimiento verde, espinacas y
   queso de cabra y servido con batatas y col roja estofada

roast beef with yorkshire pudding
rosbif con pastel de yorkshire

smoked mackerel
caballa ahumada

steamed fillet of whiting
filete de pescadilla al vapor

stewed lamb with spring onions
cordero guisado con cebolleta

GUARNICIONES

SIDE ORDERS - GUARNICIONES

brown rice	arroz integral
buttered green beans	judías verdes salteadas con mantequilla
chips/fries	patatas fritas
green salad	ensalada verde
jacket potato	patata asada
mashed potatoes	puré de patatas
minted new potatoes	patatas nuevas a la menta
mixed leaf salad	ensalada variada
sauteed vegetables	verduras salteadas

POSTRES

DESSERTS - POSTRES

apple crumble
compota de manzana con costra de migas y mantequilla

apple tart
tarta de manzana

assorted fresh fruits
surtido de fruta fresca

bramley & cinnamon tiramisu
tiramisú de manzanas bramley, canela y queso mascarpone

carrot pie with custard sauce
tarta de zanahoria con salsa de natillas

champagne fruit jelly filled with fresh berries & presented with a
    kiwi fruit syrup
terrina de frutas al champán rellena con frutos rojos y servida con
    sirope de kiwi

cheese board
tabla de quesos

cheesecake
tarta de queso

chocolate mille feuille
milhojas de chocolate

creme brulée with mixed seasonal berries
crema catalana con frutos rojos de temporada

dark chocolate mousse
mousse de chocolate negro

fruit salad
macedonia de frutas

hot chocolate pudding with white chocolate cream
tarta de chocolate caliente con salsa de chocolate blanco

hot crêpes served with sliced strawberries and cream
crepes calientes servidos con rodajas de fresa y nata

ice cream sundae
helado de vainilla con chocolate caliente

lemon cream tart with fresh strawberries and clotted cream
pastel de crema de limón con fresas frescas y nata espesa

lemon sherbet
sorbete de limón

rhubarb pudding
pastel de ruibarbo

sherry trifle
bizcocho borracho cubierto de jalea, fruta, natillas y nata

strawberries and cream
fresas con nata

treacle pudding
pudín de bizcocho al baño maría con sirope y natillas

vainilla ice cream
helado de vainilla

PLATOS VEGETARIANOS

VEGETARIAN DISHES - PLATOS VEGETARIANOS
artichokes stuffed with walnuts, lemon, parsley on a bed of
  caramelised baby onions
alcachofas rellenas de nueces, limón y perejil sobre un lecho
  de cebollas caramelizadas

aubergine schnitzel
tarta de berenjena

coconut tofu cheesecake
tarta de queso con tofu de coco

courgette and goat's cheese parcel
envuelto de calabacín y queso de cabra

elixir salad: oak-leaf lettuce, cress, grilled tomatoes, artichoke
hearts, feta cheese and roasted pine nuts with a balsamic
vinaigrette
ensalada elixir: hoja de roble, berros, tomate asado, corazones
de alcachofa, queso feta y piñones tostados con una vinagreta
balsámica

leek and gruyere quiche
quiche de puerros y queso gruyère

organic ice cream selection
selección de helados orgánicos

pumpkin and ricotta ravioli with sage butter
raviolis de calabaza y queso riccota con mantequilla a la salvia

roast vegetable tartlet with balsamic vinegar & herb marinated
courgette, aubergine, peppers, tomato and red onion; served
with rocket salad
tartaleta de verduras al horno: calabacín, berenjena, pimientos
tomate y cebolla roja servida con ensalada de rúcula

stir-fried vegetables in sesame oil with marinated tofu
verduras salteadas en aceite de sésamo con tofu marinado

stuffed green pepper with rice, leek and courgettes
pimientos rojos rellenos de arroz, puerro y calabacín

thyme rissotto with grate parmesan and sliced walnuts
rissoto al tomillo con parmesano rallado y nueces troceadas

tomato salad with fresh herbs
ensalada de tomate a las hierbas

vegetable casserole
estofado de verduras

vegetable sausage served with celeriac mashed, braised cabbage
  and rosemary red wine gravy
salchicha vegetariana servida con puré de apio, col guisada y
  salsa de vino tinto al romero

warm beetroot, hazelnut and spinach salad with marinated feta
ensalada templada de remolacha, avellanas y espinacas con
  queso feta marinado

BOCADILLOS Y SÁNDWICHES

SANDWICHES - BOCADILLOS y SÁNDWICHES
brie and black grapes
sándwich de queso brie y uvas tintas

cheddar with apricot & ginger chutney
sándwich de queso cheddar con chutney de albaricoques y jengibre

goat's cheese & herbs
sándwich de queso de cabra a las hierbas

ham and cheese sandwich
sándwich mixto

hummus and sun-dried tomato
sándwich de humus y tomates deshidratados

milano salami with buffalo mozzarella
sándwich de sálami con mozarella de búfala

portuguese tuna with mayonnaise
sándwich de atún portugués con mayonesa

prosciutto drizzled with olive oil, lemon and black pepper
sándwich de jamón aliñado con aceite de oliva, limón y
  pimienta negra

royal beef burger served on a bun with lettuce, sliced tomato
  and onion
hamburguesa de buey servida en bollo de pan con lechuga,
  rodajas de tomate y cebolla

salt beef with horseradish and mustard
sándwich de carne de buey en salazón con salsa picante de
  rábanos y mostaza

scottish salmon with lemon and black pepper
sándwich de salmón escocés con limón y pimienta negra

vegetarian focaccia
pan rústico relleno de verduras y aliñado con aceite de oliva y
  hierbas

wiltshire ham with hot english mustard
sándwich de jamón curado con mostaza inglesa caliente

PUB FARE - EN EL PUB

bangers and mash
salchicha con puré de patatas

cambridge ham sandwich
bocadillo caliente abierto con jamón, champiñones y queso

cottage pie
pastel de carne de res con puré de patatas

devonshire
pechuga de pavo salteada y fileteada servida en un pan abierto
   cubierta de beicon y queso fundido y acompañada de salsa

filet mignon steak sándwich with horseradish sauce
bocadillo de bistec de ternera acompañado de tomate, cebolla y
   salsa de rábanos picantes

fish & chips
filete de bacalao rebozado y frito con patatas fritas

ploughman's lunch
almuerzo del labrador (pan crujiente, queso cheddar y encurtidos
con ensalada)

shepherd's pie
pastel del pastor (cordero picado y horneado con puré de patatas)

steak and kidney pie
pastel de carne de ternera con riñones en salsa

steak and mushroom pie
pastel de carne de ternera, champiñones y queso

EL TÉ

TEATIME - EL TÉ

assorted tea sandwiches	emparedados variados
black tea	té negro
cakes	pasteles
clotted cream	nata espesa para untar
cream	nata
cucumber sandwiches	emparedados de pepino
egg salad sandwiches	emparedados de huevo duro con mostaza y mayonesa
fruit preserves	frutas en conserva
green tea	té verde
jam	mermelada
lemon curd	crema de limón para untar
milk	leche
scones/ crumpets	bollitos redondos para tomar con mantequilla y mermelada o nata espesa
tea room	salón de té
tea with lemon	té con limón
tea with milk	té con leche
teapot	tetera
watercress sandwiches	emparedados de berro

BEBIDAS

afrutado (vino)	fruity	*frúti*
agua	water	*uáta*
agua con gas	sparkling water	*spárklin uáta*
agua del grifo	tap water	*tap uáta*
agua sin gas	still water	*stíl uáta*
beber	to drink	*tu drink*
bebidas alcohólicas	alcoholic drinks	*álcojolic drinks*
bebidas no alcohólicas		*non álcojolic drinks*
café	coffee	*cófi*

café con hielo	iced coffee	*áisd cófi*
café con leche	white coffee	*uáit cófi*
café sólo	black coffee/expresso	*blak cófi/expréso*
cerveza	bier	*bíe*
champán	champaign	*shampéin*
cóctel	cócktail	*cókteil*
descafeinado	decaffeinated/decaff	*dícafeineited/dicáf*
dulce (vino)	sweet	*suít*
leche desnatada	low fat/skimmed milk	*lóu fat/skimd milk*
leche	milk	*milk*
manzanilla	camomille tea	*cámomail tíi*
agua mineral	mineral water	*míneral uáte*
refrescos	soft drinks	*soft drinks*
seco (vino)	dry	*drái*
té	tea	*tíi*
té helado	iced tea	*áisd tíi*
vino	wine	*uáin*
vino blanco	white wine	*uáit uáin*

CON NIÑOS

babero	bib	*bib*
batido	milkshake	*mílksheik*
batido de frutas	smoothie	*smúzi*
biberón	baby's bottle	*béibis bótel*
bola (de helado)	scoop	*scúp*
calentar	to heat up	*tu jit ap*
compartir	to share	*tu shée*
hamburguesa	hamburger	*jámberge*
hamburguesa con queso	cheeseburger	*chíisberge*
helado	ice cream	*áis crim*
ingredientes de pizza	pizza toppings	*pítza tópins*
lasaña	lasagna	*lasánia*
pajita	straw	*stróo*

El viajero dice...

¿Tienen menú para niños?
Have you got a children's menu?
Jaf yu got a chíldrens méniu?

¿Tienen hamburguesas?
Do you serve burgers?
Du yu serf bérgers?

¿Podrían prepararle un plato de pasta?
Can he have a pasta dish?
Can ji jaf a pásta dish?

¿Tienen sillas altas?
Have you got high chairs for children?
Jaf yu got jái chers fóo children?

¿Podría calentarme esto?
Can you heat this up for me, please?
Can yu jit dis ap fóo mi, plíis?

Tomará una hamburguesa, pero sin pepinillo ni tomate
She'll have a burger, but without gherkins or tomato
Shil jaf a bérger, bat uizáut gérkins óo toméito

No muy picante, por favor
Not too spicy, plíis
Not tu spáisi, plíis

¿Sirven medias raciones?
Do you serve half portions?
Du yu serf jaf pórshons?

¿Son muy grandes las raciones?
Are the portions very big?
Áa de pórshons véri big?

¿Tienen pizzas?
Do you serve pizzas?
Du yu serf pítzas?

¿Nos trae una pajita?
Can you bring us a straw?
Can yu brin as a stróo?

¿Me trae otra servilleta, por favor?
Could you bring me another napkin, please?
Cud yu bring mi andde ndpkin, plíis?

Van a compartir el...
They're going to share the...
Déir góin tu shée de...

¿Tienen cambiador?
Have you got baby changing facilities?
Jaf yu got béibi chéinyin fasílitis?

MENÚ INFANTIL

CHILDREN'S MENU - MENÚ INFANTIL

bbq ribs
costillas con salsa barbacoa

char-grilled beef burger with fries or salad
hamburguesa de carne de buey al grill con patatas fritas o ensalada

chicken wings
alitas de pollo

chocolate éclairs
pasteles de chocolate

crispy fried pollack & chips
filete crujiente de abadejo rebozado y acompañado de patatas fritas

fish fingers
barritas de pescado rebozadas y fritas

fresh fruit salad
macedonia de frutas frescas

fruit juices
zumos de frutas

grilled cheese sandwich
sándwich de queso fundido

homemade free range chicken nuggets
nuggets caseros de pollo de corral

hot dog with fries
perrito caliente con patatas fritas

OCIO Y TIEMPO LIBRE

La fuente de información más actualizada se puede encontrar en los periódicos, en las revistas especializadas y en las oficinas de información turística. En los hoteles también proporcionan información.

Siempre hay ofertas y descuentos para asistir a determinados espectáculos, conciertos, teatros... por lo que es conveniente informarse antes de adquirir las entradas.

▨ TURISMO

abadía	abbey	*ábi*
arqueológico	archeological	*arkeolóyical*
arquitecto	architect	*árkitect*
arquitectura	architecture	*árkitekshor*
artista	artist	*ártist*
ayuntamiento	town hall	*táun jol*
campana	bell	*bel*
campanario	belfry	*bélfri*
capilla	chapel	*chápel*
castillo	castle	*cásel*
catedral	cathedral	*cazídral*
cementerio	cemetery	*sémeteri*
ciudad vieja	old town	*óuld táun*
claustro	cloister	*clóiste*
cueva	cave	*kéif*
cúpula	dome	*dóum*
edificio	building	*bíldin*
estatua	statue	*státiu*
excursión	trip	*trip*
exposición	exhibition	*exibíshon*
fachada	façade	*fasád*

folleto	brochure	*bróusha*
guía de viaje	guidebook	*gáidbuk*
guía turístico	guide	*gáid*
horario	timetable	*táimteibol*
iglesia	church	*cherch*
mármol	marble	*márbel*
medieval	medieval	*mediíval*
monasterio	monastery	*mónastri*
monumento	monument	*móniument*
murallas	walls	*uols*
museo	museum	*miusíam*
oficina de turismo	tourist office	*túrist ófis*
palacio	palace	*pálas*
parlamento	parliament	*párliament*
parque	park	*park*
pasear	to walk/to stroll	*tu uok/tu strol*
paseo	walk	*uok*
patio	courtyard	*córtyard*
piedra	stone	*stóun*
plaza	square	*skuée*
puente	bridge	*brich*
recorrido por la ciudad	city tour	*síti tur*
recorrido turístico	sightseeing tour	*sáit síin tur*
renacimiento	renaissance	*renésans*
romanticismo	romanticism	*rómantisisim*
ruinas	ruins	*rúins*
sala	room	*rum*
siglo	century	*sénturi*
sitios de interés	places of interest/ sites	*pléises of ínterest/sáits*
torre	tower	*táue*
visita guiada	guided tour	*gáided tur*
visitar	to visit	*tu vísit*

Admission Free	Entrada libre
Closed to the public	Cerrado al público
Currently under restoration	En restauración
Entrance	Entrada
No Photographs	Prohibido sacar fotografías
Visiting Hours	Horario de visitas
Wuy Out	Salida

El viajero dice...

¿Dónde está la oficina de turismo?
Where's the tourist office?
Uérs de túrist ófis?

¿Hay visitas guiadas en español?
Are there guided visits in Spanish?
Ar dée gáided vísits in spánish?

Quisiera hacer una reserva para una visita guiada a la abadía
I'd like to book a guided visit to the abbey
Áid láik tu buk a gáided vísit tu di ábi

Para esta tarde
For this afternoon
Fóo dis afternún

¿Hay excusiones interesantes por los alrededores?
Are there any interesting trips to the surroundings?
Ar der éni ínterestin trips tu de saráundings?

¿Qué lugares nos recomienda visitar?
What sites do you recommend?
Uát sáits du yu ricoménd?

¿Está muy lejos?
Is it far away?
Ísit far auéi?

ocio y tiempo libre

153

¿Me lo puede señalar en el mapa?
Can you show it to me on the map?
Can yu shóu it tu mi on de map?

Quisiera reservar una excursión de un día a Canterbury
I'd like to book a one day trip to Canterbury
Áid láik to buk a uán déi trip to cánterburi

Para dos personas
For two people
Fóo tu pípol

¿Está incluido el almuerzo en el precio?
Is lunch included in the price?
Is lanch inclúded in de práis?

¿A qué hora sale el autobús?
What time does the bus leave?
Uát táim das de bas líif?

¿Podríamos contratar un guía?
Can we hire a professional guide?
Can ui jáir a proféshonal gáid?

¿A qué hora abre el museo?
What time does the museum open?
Uát táim das de miusíam óupen?

¿Abre los lunes?
Is it open on Monday?
Ísit óupen on mándei?

¿Cómo se va al castillo?
How do I go to the castle?
Jáu du ái góu tu de cásel?

¿Está abierto al público?
Is it open to the public?
Ísit óupen tu de páblic?

¿Cuándo se puede visitar la iglesia?
When can we visit the church?
Uén can uí vísit de cherch?

¿Hay que pagar entrada?
Is there an entrance fee?
Is der an éntrans fi?

¿Hay acceso para minusválidos?
Is there disabled access?
Is dée diséibeld ákses?

¿Se pueden hacer fotos?
Can we take photographs?
Can uí téik fótografs?

¿Se va por aquí al claustro?
Ís it this way to the cloister?
Is it dis uéi tu de clóiste?

¿Nos puede recomendar un buen sitio para comer?

Can you recommend a nice place to eat?

Can yu rícomend a náis pléis tu it?

¿Hay tienda de recuerdos/ regalos?

Is there a souvenir/gift shop?

Is der a súvenir/gift shop?

EN EL MUSEO

abstracto	abstract	*ábstract*
antiguo	antique	*antík*
ala	wing	*uing*
arte	art	*art*
bronce	bronze	*brons*
catálogo	catalogue	*cátalog*
clásico	classic/classical	*clásik/clásikal*
cobre	copper	*cópe*
colección permanente	permanent collection	*pérmanent colékshon*
contemporáneo	contemporary	*contémporari*
cuadro	painting	*péintin*
escultor	sculptor	*skálpche*
escultura	sculpture	*skálpche*
exposiciones temporales	temporary exhibitions	*témporari exibíshons*
famoso	famous	*féimos*
flamenco	flemish	*flémish*
galería	gallery	*gáleri*
grandes maestros	great masters	*gréit másters*
grabado	engraving	*engréivin*
marco	frame	*fréim*
moderno	modern	*módern*
obra de arte	work of art	*uérk of art*

ocio y tiempo libre

obra maestra	masterpiece	*másterpis*
oro	gold	*góuld*
paisaje	landscape	*lándskeip*
pincel	brush	*brash*
pincelada	brushstroke	*brash stróuk*
pintor	painter	*péinte*
planta baja	ground floor	*gráund flóo*
plata	silver	*sílve*
primera planta	first floor	*ferst flóo*
retrato	portrait	*pórtreit*
tallado	carved	*carfd*
tapiz	tapestry	*tápestri*
técnica	technique	*tekník*

El viajero dice...

¿Cuál es el horario del museo?
What are the museum's opening times?
Uát ar de miusíams óupenin táims?

¿Puede darnos un plano del museo?
Can you give us a museum plan?
Can yu gif as a miusíam plan?

Dos entradas para la exposición de Turner, por favor
Two tickets for the Turner exhibition, please
Tu tíkets fóo de térner éxibishon, plíis

¿Hay descuentos para estudiantes?
Are there discounts for students?
Ar dée díscaunts fóo stíudents?

¿Tienen folletos en español?
Have you got brochures in Spanish?
Jaf yu got bróushars in spánish?

¿Dónde puedo comprar el catálogo de la exposición?
Where can I buy the exhibition catalogue?
Uée can ái bái di exibíshon cátalog?

acomodador	usher	*áshe*
acto	act	*act*
actor	actor	*áktoo*
actriz	actress	*áktres*
acústica	acoustics	*akústics*
asiento	seat	*síit*
ballet	ballet	*baléi*
butacas de platea (teatro)	stalls	*stols*
cantante	singer	*sínge*
cartelera	film listings	*film lístins*
cine	cinema	*sínema*
club de jazz	jazz club	*yas clab*
comedia	comedy	*cómedi*
concierto	concert	*cónsert*
críticas	reviews	*riviús*
director	director	*dáirekto*
director de orquesta	conductor	*condákto*
disfrutar	to enjoy	*tu enyói*
documental	documentary	*dokiuméntari*
empezar	to start	*tu start*
entreacto	intermission/ interval	*intermíshon/ ínterval*
escena	stage	*stéich*
espectáculo	show	*shóu*
estreno	premiere	*primiée*
fila	row	*róu*
función/representación	performance	*perfórmans*
función	play/show	*pléi/shóu*
guardarropa	cloakroom	*clóukrum*
gustar	to like	*tu láik*
instrumentos musicales	musical instruments	*miúsical ínstruments*
jazz	jazz	*yas*

música clásica	classical music	*clásical míusik*
música en directo	live music	*láif míusik*
musical	musical	*miúsical*
músico	musician	*miusíshan*
obra	play	*pléi*
ópera	opera	*ópera*
orquesta	orchestra	*órkestra*
palco	box	*box*
pantalla	screen	*skrin*
pasillo	aisle	*áil*
película	film	*film*
programa	programme	*prógram*
recital	recital	*résital*
recomendar	tu recommend	*tu ricoménd*
solista	solo player	*sólo pléie*
subtítulos	subtitles	*sábtaitels*
taquilla	box office	*box ófis*
teatro de la ópera	opera house	*ópera jáus*
telón	curtain	*kérten*
temporada	season	*síson*
terminar	to finish	*tu fínish*
versión original	original version	*oríyinal vérshon*
versión doblada	dubbed version	*dabd vérshon*
voz	voice	*vóis*

LETREROS DE UTILIDAD

Emergency Exit	Salida de emergencia
Now showing	En cartel
Sold Out	Agotadas las localidades
Ticket Box	Taquillas

El viajero dice...

¿Me puede recomendar una película inglesa?
Can you recommend a British film?
Can yu ricoménd a brítish film?

¿Cuáles hay en cartel?
Which ones are on?
Uich uáns ár on?

Me gustaría ir a la ópera
I'd like to go to the opera
Áid láik to góu tu di ópera

¿Quedan entradas para esta noche?
Are there tickets left for this evening?
Ar dée tíkets left fóo dis ífnin?

¿A qué hora empieza/termina?
What time does it start/finish?
Uát táim das it start/fínish?

Quería una entrada para la sesión de las 7
I'd like a ticket for the seven o'clock performance
Áid láik a tíket fóo de séven óu clok perfórmans

¿Cuántas filas hay?
How many rows are there?
Jáu méni róus ár dée?

Esos asientos están muy lejos, prefiero más cerca
Those seats are too far back, I'd rather be closer, please
Dóus síits ar tu fáa bak, áid ráde bi clóuse, plíis

Por favor, dos butacas centradas
Two seats/stalls in the centre, please
Tu síits/stols in de sénter, plíis

Dos palcos para el concierto del sábado, por favor
Two boxes for Saturday's concert, please
Tu bóxes fóo sáterdeis cónsert, plíis

¿Cuánto dura la representación?
How long does the performance last?
Jáu lon das de perfórmans last?

¿Hay intermedio?
Is there an interval?
Is der an ínterval?

¿Puede darme un programa, por favor?
Can I have a programme, please?
Cánai jaf a prógram, plíis?

Disculpe, ésos son nuestros asientos
Excuse me, those are our seats
Exkiús mi, dóus ar áue síits

El empleado dice...

Which film?
Uich film?
¿Para qué película?

There're only seats in the front row left
Der ar óunli síits in de front róun left
Sólo quedan asientos en la primera fila

That performance is sold out
Dat perfórmans is sóuld áut
Las entradas para esa función se han agotado

That will be fourteen pounds and twenty pence, please
Dat wil bi fortín páunds an tuénti pens, plíis
Son 14 libras y 20 peniques

I can offer you two seats in row 20
Ái can ófe yu tu síits in róu tuénti
Puedo darle dos entradas para la fila 20

El acomodador dice...

Can I see your tickets?
Cánai si yor tíkets?
¿Me enseñan sus entradas?

These are your seats
Díis ar yor sits
Éstos son sus asientos

This way please
Dis uéi, plíis
Por aquí, por favor

Here's the programme
Jíers de prógram
Aquí tienen el programa

160

DE COPAS

barman	barman	*bárman*
barra	counter	*cáunte*
cerveza de barril	draught beer	*draft bía*
cerveza	beer	*bía*
coca-cola	coke	*cóuk*
cóctel	cocktail	*cócteil*
frío	chilled	*child*
ginebra	gin	*yin*
hielo	ice	*áis*
la cuenta	the bill	*de bil*
licores	spirits	*spírits*
limón	lemon	*lémon*
media pinta	half pint	*jaf paínt*
naranja	orange	*órench*
pedir	to order	*tu órdee*
pedir la cuenta	to ask for the bill	*tu ask fóo de bil*
pinta	pint (568 ml)	*páint*
quedar para tomar algo	to meet for drinks	*tu mit fóo drinks*
ron	rum	*rom*
sidra	cider	*sáide*
soda	soda	*soúda*
tomar una copa	to have a drink	*tu jaf a drink*
tónica	tonic water	*tónic uáta*
vaso/copa	glass	*glas*
vida nocturna	nightlife	*náitlaif*
vino blanco	white wine	*uáit uáin*
vino tinto	red wine	*red uáin*
vodka	vodka	*vózka*
whisky	whisky	*úiski*

LETREROS DE UTILIDAD

Beer Garden	Mesas al aire libre (en los pubs)
Café	Café
Lounge Bar	Bar de copas
Night Club/Disco	Discoteca
Pub	Pub
Wine Bar	Vinoteca

En el bar/pub el viajero dice...

¡Salud!
Cheers!
Chíirs!

Esta ronda la pago yo
This one's on me
Dis uáns on mi

Yo invito
My treat
Mái trit

¡Qué aproveche!
Enjoy!
Enyói!

Otra ronda
Another round
Anáde ráund

Quédese con el cambio
Keep the change
Kip de chéinch

Una copa de vino blanco, por favor
A glass of white wine, please
A glas of uáit uáin, plíis

¿Está frío?
Is it chilled?
Is it child?

Tomaré lo mismo
I'll have the same
Áil jaf de séim

Dos pintas, por favor
Two pints, please
Tu páints, plíis

Tomaré un gin tonic
I'll have a gin and tonic
Áil jaf a yin and tónic

Con hielo y sin limón
With ice, no lemon
Uiz áis, nóu lémon

¿Tienen cerveza de barril?
Have you got draught beer?
Jaf yu got draft bía?

¿Tienen algo de comer?
Do you serve food?
Du yu serf fud?

¿Me puede poner más hielo?
Can I have some more ice, please?
Cánai jaf sam mor áis, plíis?

Eso es todo, gracias
That will be all, thank you
Dat uil bi ol, cénkiu

¿A qué hora cierran?
At what time do you close?
At uát táim du yu clóus?

¿Cuánto le debo?
How much do I owe you?
Jáu mach du ái óu yu?

El barman dice...

What would you like to drink?
Uát wud yu láik tu drink?
¿Qué quiere tomar?

What brand of whisky do you prefer?
Uát brand of uíski do you prifée?
¿Qué marca de whisky prefiere?

How would you like your whisky?
Jáu wud yu láik yor úiski?
¿Cómo quiere el whisky?

Anything else?
Énizin els?
¿Algo más?

Last orders!
Last órders!
Últimos pedidos (cuando el pub va a cerrar)

Would you like some ice?
Wud yu láik sam áis?
¿Quiere hielo?

bailar	to dance	*tu dans*
conocer gente	to meet people	*tu mit pípol*
divertirse	to have fun	*tu jaf fan*
invitar	to invite	*tu inváit*
musica	music	*míusik*
pista de baile	dancing floor	*dánsin flóo*
salir	to go out	*tu góu áut*

El viajero dice...

¿Hay alguna discoteca por aquí cerca que esté bien?
Is there a nice disco/nightclub near here?
Is der a náis dísco/náitclab nía jíe?

¿Hay que pagar entrada?
Do they have admission fee?
Du déi jaf admíshon fi?

¿Están incluidas las consumiciones?
Are drinks included?
Ar drinks inclúded?

¿Puede decirme dónde está el guardarropa?
Where is the cloakroom, please?
Uér is de clóukrum, plíis?

¿Quieres bailar?
Would you like to dance?
Wud yu láik tu dans?

No, gracias
I'm fine, thanks
Áim fáin, zanks

alquilar	to hire/to rent	*tu jáir/tu rent*
árbitro	referee	*referí*
bádminton	badminton	*bádminton*
balón	ball	*bol*
baloncesto	basketball	*básketbol*
bañador	swimsuit (mujer)/ trunks (hombre)	*suímsut/tránks*
barca	boat	*bóut*
bicicleta	bycicle/bike	*báisikel/báik*
caballo	horse	*jors*
campo de fútbol	soccer filed	*sóke fíild*
campo de golf	golf course	*golf cors*
caña de pescar	fishing rod	*físhin rod*
equipo	team	*tíim*
estadio	stadium	*stéidium*
fútbol	soccer	*sóke*
ganar	to win	*tu uin*
derrotar	to beat	*tu bíit*
hacer footing	to go jogging	*tu góu yógin*
hacer vela	to go sailing	*tu góu séilin*
hacer windsurf	to go windsurfing	*tu góu uindsérfin*
jugador	player	*pléie*
mar	sea	*síi*
montar a caballo	to go riding	*tu góu ráidin*
montar en bicicleta	to go cycling	*tu góu sáiklin*
natación	swimming	*suímin*
partido	match	*mach*
pelota	ball	*bol*
perder	to lose	*tu lúus*
pescar	to fish	*tu fish*
pista de patinaje	skating ring	*skéitin rin*
pista de tenis	tennis court	*ténis cort*
raqueta	racquet	*ráket*

remar	to row	*tu róu*
río	river	*ríve*
velero	sail boat	*séil bóut*

El viajero dice...

¿Se puede pescar aquí?
Can I fish here?
Cánal fish jíe?

¿Está permitido bañarse aquí?
Is swimming allowed here?
Is suímin aláud jíe?

Quisiera alquilar una barca
I'd like to hire a boat
Áid láik tu jáir a bóut

¿Dónde puedo alquilar una bicicleta?
Where can I hire a bicycle?
Uée can ai jáir a báisikel?

¿Te apetece jugar un partido de tenis?
Fancy a tennis match?
Fánsi a ténis mach?

Quisiera reservar una pista de tenis para mañana a las cinco
I'd like to book a court for tomorrow at five
Áid láik tu buk a cort fóo túmorou at fáif

¿Cuánto cuesta al día/la hora?
How much does it cost per day/ per hour?
Jáu mach das it cost pée déi/áue?

¿Está climatizada la piscina?
Is the pool heated?
Is de pul jíted?

¿Cuándo es el próximo partido?
When's the next match?
Uéns de next mach?

COMPRAS

Tanto Gran Bretaña como Estados Unidos son paraísos para los adeptos a las compras, de manera especial Londres y Nueva York, donde se pueden encontrar desde grandes almacenes, tiendas con todo tipo de ofertas e incluso mercadillos. No hay nada que no se pueda comprar en estos países.

VOCABULARIO GENERAL

barato	cheap	*chíip*
bonito	pretty/beautiful/ lovely	*príti/biútiful/ láfli*
caro	expensive	*expénsif*
color	colour	*cólo*
de moda	trendy	*tréndi*
descuento	discount	*dískaunt*
dinero	money	*máni*
dinero en metálico	cash	*kash*
escaparate	shop window	*shop uíndou*
feo	ugly	*ágli*
ganga	bargain	*bárguen*
grande	big/large	*big/larch*
grandes almacenes	department store	*dipártment store*
marca	brand	*brand*
pequeño	small	*smol*
probador	changing/fitting room	*chélnyin/fítin rum*
rebajas	sale	*séils*
regalo	gift	*gift*
talla	size	*sáis*
tique de compra	receipt	*risít*
tienda	shop/store	*shop/stóo*

VERBOS DE UTILIDAD

cambiar	to change	*tu cheinch*
cobrar	to charge	*tu charch*
comprar	to buy	*tu bái*
comprobar	to check	*tu chek*
costar	to cost	*tu cost*
devolver	to return	*tu ritérn*
echar un vistazo/ curiosear	to browse	*tu bráus*
ir de compras	to go shopping	*tu góu shópin*
pagar	to pay	*tu péi*
probarse	to try on	*tu trái on*
regatear	to bargain	*tu bárguen*
vender	to sell	*to sel*

LETREROS DE UTILIDAD

25% off	25% de descuento
Admission Free	Entrada libre
Bookshop	Librería
Cashier	Cajero
Department Store	Grandes almacenes
Dry Cleaner's	Tintorería
Electricals	Artículos electrónicos
Gift Shop	Tienda de regalos
Grocery Store	Tienda de alimentación
Hairdresser's	Peluquería
Hand Made	Hecho a mano
Jeweller's	Joyería
Newsagent	Quiosco
Open all day/24 hour service	Abierto todo el día

compras

Perfume Shop	Perfumería
Please do not touch	Se ruega no tocar
Pull	Tirar
Push	Empujar
Sales	Rebajas
Shop	Tienda
Souvenirs Shop	Tienda de objetos de recuerdo
Special Offers	Ofertas especiales
Stationer's	Papelería
Supermarket	Supermercado/hipermercado

El viajero dice...

Sólo estoy mirando
I'm Just looking
Áim yast lúkin

Es demasiado caro para mí
It's too expensive for me
Its tu expénsif fóo mi

Me gusta
I like it
Ái láik it

No es mi estilo
It's not my style
Its not mái stáil

¿Los tienen en otros colores?
Have you got them in different
colours?
Jaf yu got dem in dífrent cólors?

¿Cuál sería mi talla?
What would my size be?
Uát wud mái sáis bi?

¿Me lo puedo probar?
Can I try it on?
Cánai trái it on?

Estoy buscando un regalo
I'm looking for a gift idea
Áim lúkin for a gift aidía

Quisiera devolver este bolso/ libro
I'd like to return this handbag/ book...
Áid láik tu ritérn dis jándbag/ buk...

Aquí está el tícket
Here's the receipt
Jíers de risít

ROPA

a cuadros	checked	*chékd*
a rayas/a rayas	stripes/striped	*stráipd*
algodón	cotton	*cóton*
botón	button	*báton*
camiseta	t-shirt	*tíshert*
cremallera	zip	*sip*
cuello	neck	*nek*
lana	wool	*wul*
largo	long	*lon*
lino	linen	*línen*
manga	sleeve	*slíif*
moda para hombre	men's wear	*ménswee*
moda para mujer	women's wear	*uímenswee*
moda para niños	children's wear	*chíldrenswee*
ojal	button hole	*báton jóul*
prendas de punto	knitswear	*nítswee*
seda	silk	*silk*
sin mangas	sleeveles	*slífless*
vaqueros	jeans	*yins*

ROPA PARA MUJER

bañador	swimsuit	*suímsut*
biquini	bikini	*bikíni*
blusa	blouse	*bláus*
braguitas	panties	*pántis*
camisón	nightdress	*náitdres*
chaqueta (punto)	cardigan	*cárdigan*
chaqueta	jacket	*yáket*
falda	skirt	*skért*
lencería	lingerie	*língeri*
medias enteras	tights	*táits*
medias hasta la rodilla	knee highs	*ni jáis*
minifalda	miniskirt	*míniskert*
sujetador	bra	*bra*
vestido	dress	*dres*

ROPA PARA HOMBRE

abrigo	overcoat	*óuvercout*
calzoncillos	underpants	*ánderpans*
camisa	shirt	*shert*
chaqueta	jacket	*yáket*
corbata	tie	*tái*
gabardina	raincoat	*réincout*
gemelos	cuff links	*caf links*
pantalones	trousers	*tráusers*
pijama	pyjamas	*piyámas*
traje	suit	*sut*

compras

ROPA PARA NIÑOS

capucha	hood	*jud*
chándal	tracksuit	*tráksut*
jersey	pullover	*púlove*
pantalones cortos	shorts	*shorts*
sudadera	sweatshirt	*suétshert*
tirantes	suspenders	*saspénders*

CALZADO

botas	boots/tall boots	*buts/tol buts*
botines	low boots	*lóu buts*
calzado	shoewear	*shúwee*
chanclas	flip-flops	*flípflops*
deportivas	trainers/sneakers	*tréiners/sníkers*
par	pair	*pée*
sandalias	sandals	*sándals*
zapatos	shoes	*shúus*
zapatos de hombre	men's shoewear	*mens shúwee*
zapatos de mujer	women's shoewear	*uímens shúwee*
zapatos de tacón	high-heeled shoes	*jái jíild shus*

ACCESORIOS

accesorios	accessories	*aksésoris*
anillo	ring	*rin*
bolso	handbag	*jándbag*
bufanda/fular	scarf	*skárf*
cinturón	belt	*belt*
collar	necklace	*nékles*

compras

guantes	gloves	*glafs*
sombrero	hat	*jat*
pañuelo	handkerchief	*jánkerchif*
pendientes	earrings	*íerings*
pulsera	bracelet	*bréislet*

El viajero dice...

¿Tienen éstos en en azul?
Have you got these in blue?
Jaf yu got díis in blu?

¿Me los puedo probar?
Can I try them on?
Cánai trái dem on?

¿Dónde están los probadores?
Where are the changing rooms?
Uér ar de chéinyin rums?

Tengo la talla 40
I am size 12
Ái am sáis tuélf

¿Tiene una talla más/menos?
Have you got the next size up/down?
Jaf yu got de next sáis ap/dáun?

Me quedan muy bien
They fit great
Déi fit gréit

Me aprietan
They feel tight
Déi fit táit

Me los llevo
I'll take them
Áil téik dem

El dependiente dice...

Can I help you?
Cánai jelp yu?
¿Puedo ayudarle?

What size are you?
Uát sáis ar yu?
¿Que talla tiene?

How do they fit?
Jáu du déi fit?
¿Qué tal le quedan?

Please pay at the cash desk
Plíis, péi at de cash desk
Por favor, pague en caja

They suit you
Déi sut yu
Le quedan bien

Would you like them gift
  wrapped?
Wud yu láik dem gíftrapd?
¿Se los envuelvo para regalo?

EQUIVALENCIA DE TALLAS

camisas de mujer (blouses)

GB	8	10	12	14	16	18	20	22
EE UU	6	8	10	12	14	16	18	20
España	36	38	40	42	44	46	48	50

tallas de sujetador (bras)

GB y EE UU	32	34	36	38	40	42	44	46
España	85	90	95	100	105	110	115	120

tamaño de copa de sujetador (bra cup sizes)

GB	A	B	C	D	DD	E	F
EE UU	A	B	C	D	DD	DDD	F
España	A	B	C	D	E	F	G

vestidos de mujer (dresses)

GB	8	10	12	14	16	18	20	22
EE UU	6	8	10	12	14	16	18	20
España	36	38	40	42	44	46	48	50

compras

camisas de hombre (shirts)

GB y EE UU	14	14½	15	15½	16	16½	17	17½
España	36	37	38	39	41	42	43	45

calcetines de hombre (socks)

GB y EE UU	9½	10	10½	11	11½	12
España	39	40	41	42	43	44

trajes de hombre (men's suits)

GB y FF UU	36	38	40	42	44	46	48	50
España	46	48	51	54	56	59	62	64

zapatos de mujer (women's shoewear)

GB	4	4½	5	5½/6	6/6½	7	8
EE UU	6	6½	6½/7	7½/8	8/8½	9	9½
España	36½/37	37/37½	37½/38	38½/39	39/39½	40½	41

zapatos de hombre (men's shoewear)

GB	7	8	9	10	10½	12	13
EE UU	7/8	8½	8½/9½	9½/10½	11	12½	13½
España	40/41	42	42/43	43/44	45	47	48

compras

LIBROS, MÚSICA, CINE

agenda	diary	*dáiari*
artículos de papelería	stationery	*stéishoneri*
audiolibro	audiobook	*ódiobuk*
autor	author	*ozóo*
banda sonora original	soundtrack	*sáundtrak*
calendario	calendar	*kálenda*
cartel	poster	*póuster*
cd	cd	*si di*
cuaderno	notebook	*nóutbuk*
dvd	dvd	*dividí*
documental	documentary	*dokiuméntari*
editorial	publishing house	*páblishin jdus*
ensayo	non fiction	*nonfíkshon*
escritor	writer	*ráite*
guía de viaje	travel guide	*trável gáid*
libro	book	*buk*
libro de bolsillo	pocket book	*póket buk*
libro electrónico	ebook	*íbuk*
libros infantiles	children's literature	*chíldrens líchachor*
marcapáginas	bookmarker	*bukmárke*
novedades	new releases	*niú rilíses*
novela	novel	*nóvel*
película	movie/film	*múvi/film*
recopilatorio	compilations	*compiléishons*
series de televisión	tv series	*tívi síries*
título	title	*táitel*
vinilo	vinyl	*vináil*

El viajero dice...

¿Venden libros en español?
Do you sell books in Spanish?
Du yu sel buks in spánish?

¿Tiene algún libro sobre historia de Gran Bretaña/cocina inglesa?
Have you got books on British history/English cooking?
Jaf yu got buks on brítish jístori/ínglis kúkin?

¿Ha salido ya la última novela de Salman Rushdie?
Is the latest novel by Salman Rushdie out yet?
Is de léitest nóvel bái sáman ráshdi áut iet?

¿Dónde está la sección infantil?
Where is the children's section?
Uér is de chíldrens sékshon?

¿Este dvd viene con subtítulos en español?
Does this dvd include subtitles in Spanish?
Das dis dividí inclúd sabtáitels in spánish?

¿Cuándo sale la segunda temporada?
When will Season 2 be released?
Uén wil síson tu bi rilísd?

¿Venden discos de vinilo?
Do you sell vynils?
Du yu sel váinils?

EN EL SUPERMERCADO

cajera	cashier	*káshie*
cajero	check-out counter	*chékaut cáunte*
carrito	shopping cart	*shópin cart*
comida	groceries	*gróuseries*
docena	dozen	*dósen*
envío a domicilio	home delivery	*jóum delíveri*
estantes	shelves	*shelfs*
media docena	half a dozen	*jaf a dósen*
pañales	nappies	*nápis*

pasillo	aisle	*áil*
toallitas limpiadoras	wipes	*uáips*
unidad	unit	*iúnit*

LETREROS DE UTILIDAD

Dairy & Eggs	Lácteos y huevos
Desserts	Postres
Fairtrade & Organic	Alimentos de comercio justo y orgánicos
Fresh Fruit	Fruta fresca
Fresh Vegetables	Verduras frescas
Meat, Poultry & Game	Carnes, aves y caza
Ready Meals	Platos preparados
Rice, Pasta & Dried Foods	Arroz, pasta y legumbres
Snacks	Aperitivos
Special Diet	Dietas especiales
Tinned & Canned Foods	Productos enlatados

En el supermercado el viajero dice...

¿Me pone un kilo de manzanas, por favor?
I'd like two pounds of apples, please
Áid láik tu páunds of ápels, plíis

Para comer esta noche
For tonight
Fóo tunáit

Un trozo de ese queso, por favor
A piece of that cheese, please
A pis of that chíis, plíis

¿Me lo puede cortar en lonchas?
Can you slice it?
Can yu sláis it?

178

¿Están maduros los aguacates?
Are the avocados ripe?
Ar di avokéidos ráip?

Me llevaré cinco
I'll take five
Áil téik fáif

Querría una docena de chuletas de cerdo
I'd like a dozen pork chops
Áid laík a dósen pork chops

¿Están frescas esas gambas?
Are those prawns fresh
Ar dóus prons fresh?

¿Puede indicarme dónde están los potitos?
Can you tell me where to find the baby food?
Can yu tel mi uée tu fáind de béibi fud?

¿Dónde pago?
Where do I pay?
Uée du ái peí?

¿Puedo pagar con tarjeta de crédito?
Can I pay with credit card?
Cánai peí uiz crédit card?

¿Me da otra bolsa, por favor?
Can I have another bag, please?
Cánai jaf anáde bag, plíis?

Quiero que me lo envíen
I want it delivered
Ái wont it delíverd

EN EL MERCADILLO

anticuarios	antique dealers	*antík dílers*
antigüedades	antiques	*antíks*
encaje	lace	*léis*
mercadillo callejero	street/road market	*strít/róud márket*
puestos de comida	food stalls	*fud stols*
puestos	stalls	*stóls*
ropa	clothing	*clóuzin*
segunda mano	second hand	*sécond jand*

En el mercadillo el viajero dice...

¿Qué precio tiene?
How much for this?
Jáu mách fóo dis?

Es precioso
It's lovely
Its láfli

¿Es el precio definitivo?
Is this your last price?
Is dis yor last práis?

¿No me puede hacer descuento?
Is there a possibility of discount?
Is der a posibility of díscaunt?

Me gusta, pero no puedo pagar más de 10 libras
I like it, but I can't pay more than 10 pounds
Ai láik it but ái cant péi mor dan ten paúnds

No estoy seguro/a
I'm not sure
Áim not shóo

Me lo pensaré
I'll think about it
Áil zink abáut it

Entonces me lo llevo/no me lo llevo
All right, I'll take it/leave it then
Olráit, áil téik it/líif it den

El vendedor dice...

¿Do you like it?
Du yu láik it?
¿Le gusta?

The price is 40 pounds
De práis is fórti páunds
Cuesta 40 libras

It's worth at least 30
Its uerz at list zérti
Vale al menos 30

All right, you can have it for 25. Last price
Ol ráit, yu can jaf it fóo tuénti fáif. Last práis
Se lo dejo en 25. Último precio

compras

Sorry, I don't take credit cards
Sori, ái dóunt téik crédit cards
**Lo siento, no puede pagar con
  tarjeta**

Would you like a bag?
Wud yu láik a bag?
¿Quiere una bolsa?

■ ELECTRÓNICA

adaptador	adaptor	*adápto*
cámara de vídeo	camcorder	*camcórdee*
cámara fotografica	camera	*cámera*
conexión inalámbrica de banda ancha	mobile broadband	*móbail bródband*
consola	console	*cónsoul*
digital	digital	*díyital*
dvd portátil	portable dvd	*pórtabel dividí*
impresora	printer	*príntee*
lapiz de memoria USB	USB memory stick	*lu es bi mémori stík*
marco digital	digital photo frame	*díyital foto fréim*
miniconsola	portable console	*pórtabel cónsoul*
navegador GPS	GPS satellite navigation device/ GPS	*yi pi es sátelait naviguéishon diváis*
ordenador	computer	*compíute*
ordenador portátil	laptop	*láptop*
ratón	mouse	*máus*
reproductor de CD	CD player	*si di pléie*
reproductor de MP3	MP3 player	*em pi zri pleíe*
tarjeta de memoria	memory card	*mémori card*
teclado	keyboard	*kíbord*
teléfono móvil	mobile phone	*mobail fóun*
televisor	tv set	*tívi set*

compras

181

abrecartas	letter opener	*léter óupene*
bandeja de té	tea tray	*títrei*
bandera británica	union jack	*yúnion jak*
bandera	flag	*flag*
bolígrafo	pen	*pen*
bolsas de regalo	gift bags	*gift bags*
bolsas de té	tea bags	*ti bags*
chocolate/bombones	chocolates	*chókoleits*
dedal	sewing thimble	*sóuin zímbel*
delantal	apron	*éipron*
dulces	sweets	*suíts*
hucha	money box	*máni box*
imanes de nevera	fridge magnets	*frich mágnets*
juguete	toy	*tói*
lápiz	pencil	*pénsil*
llavero	keyring	*kírin*
muñeca	doll	*dol*
platos decorativos	decorative plate	*decóratif pléit*
recuerdo	souvenir	*súvenir*
tetera	tea pot	*típot*

EN GRAN BRETAÑA

La moneda británica es la libra esterlina **(pound).** Si se necesita cambiar dinero, los bancos suelen ofrecer las mejores tasas de cambio. El horario de apertura es variable, pero el tiempo mínimo es de 10.00 a 15.30 de lunes a viernes. Algunos abren hasta más tarde e incluso los sábados.

Se pueden comprar sellos en todos los puntos de venta que exhiban el cartel **Stamps sold here.** Las oficinas urbanas más importantes tienen un servicio de **poste restante** donde puede recogerse la correspondencia.

El servicio telefónico es barato y eficiente. Las horas más económicas para llamar son desde las 18.00 hasta las 8.00 de lunes a viernes y todo el fin de semana. Los teléfonos públicos funcionan con monedas o con tarjeta, que se pueden adquirir en puestos de periódicos y oficinas de correos.

En las principales ciudades se puede encontrar la edición europea de *El País,* así como la revista *Hello!* (versión británica del *Hola*).

EN ESTADOS UNIDOS

La moneda estadounidense es el dólar. Las entidades bancarias abren de lunes a viernes de 9.00 a 16.00, algunas permanecen abiertas hasta las 18.00 los viernes y otras abren los sábados por la mañana.

Las oficinas de correos abren generalmente de lunes a viernes de 9.00 a 17.00 y algunas también los sábados por la mañana. El correo se deposita, además de en las estafetas, en los buzones de color oscuro en las calles y en los situados en los grandes edificios.

Existen muchas compañías que ofrecen servicios telefónicos con diversas tarifas. Casi todas las cabinas aceptan monedas y tarjetas de crédito. Las llamadas internacionales resultan caras. Una buena idea es utilizar el servicio España Directo o la Tarjeta Personal de Telefónica, que permite llamar desde cualquier teléfono público o privado del mundo, con sólo marcar el número de identificación personal.

billete	bank note	*bank nóut*
cajero automático	cash machine/ATM	*cash mashín/ei ti em*
cambio	exchange	*exchéinch*
cheque al portador	carrier/bearer cheque	*cáriee/bérее shek*
cheque	cheque	*shek*
cobrar un cheque	to cash a cheque	*tu cash a shek*
cobrar	to charge	*to charch*
comisión	comission	*comíshon*
cuenta corriente	checking/current account	*chékin/cárent acáunt*
dinero	money	*máni*
dinero en efectivo	cash	*cash*
firma	signature	*sígnachor*
firmar	to sign	*tu sáin*
giro internacional	international money order	*internáshonal máni órdee*
horario	opening hours	*ópenin áuers*
impreso	form	*form*
ingresar	to deposit	*tu depósit*
moneda	coin	*cóin*
mostrador	desk/counter	*desk/cáunte*
número secreto de la tarjeta	pin/code	*pin/cóud*
pagar	to pay	*tu péi*
recibo	receipt	*risít*
rellenar	to fill in	*tu fil in*
sacar dinero	to withdraw/to draw	*tu uizdró/tu dro*
saldo	balance	*bálans*
talonario	chequebook	*chékbuk*
tarjeta de crédito	credit card	*crédit card*
transferencia	order	*órdee*
ventanilla	window	*úindou*

servicios

AMT	Cajero automático
Bank	Banco
Bureau de Change	Cambio
Cashier	Caja/cajero
Enter your secret number	Marque su número secreto
Insert you card	Inserte su tarjeta
Savings Bank	Caja de ahorros

En el banco el viajero dice...

¿Qué horario tienen los bancos?
What are the banks' opening hours?
Uát ar de banks óupenin áuers?

Quería cobrar este cheque al portador
I'd like to cash this carrier cheque
Áid like to cash dis cáriee shek

Quisiera cambiar euros a libras
I'd like to change euros into pounds
Áid láik to chéinch yúros íntu páunds

¿Puedo sacar dinero aquí con la tarjeta de crédito?
Can I withdraw money with my credit card here?
Cánai uizdró máni uiz mái crédit card jíe?

¿Hay un cajero por aquí cerca?
Is there a cash machine/an ATM somewhere around here?
Is der a cash mashín/an ei ti em sámuer aráund jíe?

El cajero se ha tragado mi tarjeta
The cash machine has swallowed my card
De cash mashín jas suáloud mái card

servicios

185

Quisiera hacer una transferencia a esta cuenta, por favor
I'd like to order a money transfer to this account, please
Áid láik tu órder a máni tránsfe to dis acáunt, plíis

Necesito cancelar mi tarjeta visa
I need to cancel my visa card
Ái níid tu cánsel mái vísa card

En el banco el empleado dice...

Good morning, how can I help you?
Gud mórnin, jáu cánai jelp yu?
Buenos días, ¿en qué puedo ayudarle?

Go to cashier number 5
Góu tu cáshiee námbe fáif
Vaya a la caja/ventanilla número 5

Can I see your passport/identity card, please?
Cánai si yor pásport/aidéntiti card, plíis?
¿Me enseña su pasaporte/carné de identidad, por favor?

You have to fill in this form
Yu jaf tu fil in dis form
Tiene que rellenar este impreso

Your bank order hasn't arrived yet
Yor bank órder jásent arráifd yet
Su transferencia no ha llegado todavía

How much money would you like to withdraw?
Jáu mach máni wud yu láik tu uizdró?
¿Cuánto dinero desea retirar?

How would you like your money...?
Jáu wud yu láik yor máni...?
¿Cómo quiere el dinero...?

¿In big or small notes?
In big or smol nóuts?
¿En billetes grandes o pequeños?

Sign here, please
Sáin jíe, plíis
Firme aquí, por favor

apartado de correos	P.O. Box	*pi óu box*
buzón	mailbox/postbox	*méilbox/póustbox*
carta certificada	registered mail	*reyísterd méil*
carta urgente	express mail	*exprés méil*
carta	letter	*léta*
cobrar (un giro postal)	to cash	*tu cash*
cartero	postman	*póustman*
código postal	postcode	*póust kóud*
destinatario	addressee	*adresí*
dirección	address	*adrés*
echar (al correo)	to post	*tu póust*
empleado de correos	postal clerk	*póustal clark*
enviar	to send	*tu send*
fax (aparato)	fax machine	*fax mashín*
fax	fax	*fax*
fotocopia	photocopy	*fótocopi*
fotocopiar	to photocopy	*tu fótocopi*
franqueo	postage	*póstech*
giro postal	money order	*máni órde*
lista de correos	poste restante	*post restánt*
llegar (al destinatario)	to reach	*tu rich*
paquete	parcel/package	*pársel/pákech*
pesar	to weigh	*tu uéi*
poner (un giro postal)	to place	*tu pléis*
por avión	air mail	*ea méil*
postal	postcard	*póustcard*
recibir	to receive	*to risíf*
remitente	sender	*sénde*
sello	stamp	*stamp*
sobre	envelope	*énveloup*
telegrama	wire	*uáir*

By Air Mail	Por avión
Express	Urgente
Post Office	Oficina de correos
Stamps sold here	Se venden sellos

En la calle el viajero dice...

¿Dónde está la oficina de correos más cercana?
Where is the nearest post office?
Uér is de níerest póust ófis?

¿Dónde puedo encontrar un buzón?
Where can I find a postbox?
Uée cánai fáind a póustbox?

En la oficina de correos el viajero dice...

¿Cuál es el horario?
What are the opening hours?
Uát ar di óupenin áuers?

Quería un sello para España
I'd like a stamp for Spain
Áid láik a stamp fóo spéin

Quería enviar esta carta
I'd like to post this letter, please
Áid láik tu póust dis léte, plíis

¿Cuánto cuesta mandar esta carta certificada?
How much is it to register this letter?
Jáu mach ísit to réyiste dis léta?

Quisiera enviar este paquete por avión
I'd like to send this parcel/package by air mail
Áid láik tu send dis pársel/pákech bái ea méil

servicios

Quisiera cobrar este giro postal
I'd like to cash this postal order
Áid láik tu cash dis póustal órde

Estoy esperando un giro postal de España
I'm expecting a postal order from Spain
Áim spéktin a póustal órde from spéin

¿Puede comprobar si ha llegado, por favor?
Can you check it has arrived, please?
Can yu chek it jas aráifd, plíis?

¿Hay correo para...?
Is there any post for...?
Is der éni póust fóo...?

¿Tienen fax?
Have you got a fax machine?
Jaf yu got a fax mashín?

¿Puede enviarme este fax?
Can you send this fax for me?
Can yu send dis fax fóo mi?

Sólo son dos páginas
It's only two pages long
Its óunli tu péiyes long

Quisiera enviar este fax a España
I'd like to send this fax to Spain
Áid láik to send dis fax tu spéin

¿Cuánto cobran por página?
How much is it per page?
Jáu mach ísit per péich?

Aqui está el número
Here's the number
Jiérs de námbe

No sé el prefijo
I don't know the dialling code
Ái dóunt nóu de dáilalin cóud

En la oficina de correos el empleado dice...

Write here your full name and address, please
Rait jíe yor ful néim and adrés, plíis

Escriba aquí su nombre, apellidos y dirección, por favor

How would you like to send this letter/parcel?
Jáu wud yu láik tu send dis léte/pársel?

¿Cómo quiere enviar esta carta/este paquete?

189

Would you like to send it by
 express mail?
*Wud yu láik tu send it bái exprés
 méil?*
**¿Quiere enviarlo por correo
urgente?**

Where is it for?
Uér is it fóo?
¿Para dónde es?

I'll have to weigh it
Áil jaf to uéi it
Tendré que pesarlo

That will cost you one pound
 and seven pence
*Dat wil cost yu uán páund and
 séven péns*
Es una libra con siete peniques

Here are your stamps
Jíer ar yor stamps
Aquí tiene sus sellos

INTERNET

banda ancha	broadband	*bródband*
buscar	to search	*tu serch*
conectarse a internet	to get online	*tu get ónlain*
cuenta de correo electrónica	email account	*ímeil acáunt*
descargar	to download	*tu dáunloud*
documento	document	*dókiument*
hoja	page	*péich*
imprimir	to print	*tu print*
navegar	to navigate	*tu návigeit*
ordenador	computer	*compiúte*
ordenador portátil	laptop	*láptop*
ratón	mouse	*máus*
teclado	keyboard	*kíbord*

servicios

High-Speed Internet Access	Acesso a internet de alta velocidad
Internet Cafe	Cibercafé
Wireless Internet Access	Conexión inalámbrica a internet

El viajero dice...

¿Tienen acceso a internet?
Have you got internet access?
Jaf yu got ínternet ákses?

Quisiera ver mi cuenta de correo electrónico
I'd like to check my email account
Áid láik tu chek mái ímeil acáunt

¿Puedo enviar un correo electrónico desde aquí?
Can I send an email from here?
Cánai send an ímeil from jíe?

¿Podría imprimir estas páginas?
Could I print these pages?
Cud ái print díis péiyes?

▓ TELÉFONOS ▓

cabina	phonebox	*fóunbox*
guía de teléfonos	phone book/ telephone directory	*fóun buk/ télefoun dairéktori*
información	information	*informéishon*
internacional	international	*internáshonal*
llamada a cobro revertido	reverse charge call	*rivérs chárch col*
llamada local	local call	*lóucal col*
llamar	to call	*tu col*
marcar	to dial	*tu dáial*
número gratuito	free number	*fri námbe*

servicios

número	number	*námbe*
operador	operator	*ópereito*
prefijo	dialling code	*dáialin cóud*
tarjeta telefónica	phonecard	*fóuncard*
teléfono móvil	mobile phone	*móvail fóun*
teléfono público	payphone	*péifoun*
teléfono	phone	*fóun*
telefonear	to phone/to make a phone call	*tu fóun/tu méik a fóun col*

LETREROS DE UTILIDAD

Hang up	Cuelgue
Insert coin or card	Inserte una moneda o tarjeta
Lift receiver	Descuelgue
Phone cards sold here	Se venden tarjetas telefónicas
Remove card	Retire la tarjeta

El viajero dice...

¿Dónde hay una cabina, por favor?
Where can I find a phonebox/payphone, please?
Uée cánai fáind a fóunbox/péifoun, plíis?

Quisiera llamar a cobro revertido
I'd like to make a reverse charge call, please
Áid láik tu méik a rivérs chárch col, plíis

¿Tienen guía de teléfonos?
Have you got a phonebook?
Jaf yu got a fóunbuk?

¿Cuál es el prefijo para España?
What is the dialling code for
  Spain?
Uát is de dáialin cóud fóo spéin?

**¿Tengo que marcar primero el
  cero?**
Do I have to dial o first?
Du ái jaf to dáial óu ferst?

Quería hablar con ...
I'd like to speak to...
Áid láik to spik tu...

Hola, soy Carmen
Hello, this is Carmen
Jelóu, dis is carmen

Llamo desde Londres
I'm calling from
  London
*Áim cólin from
  lóndon*

El interlocutor/operador dice...

Who's calling?
Jus cólin?
¿De parte de quién?

There's no answer
Ders nóu ánser
No contestan

The line's engaged
De láins engéichd
El número comunica

Hold on, please
Jóuld on, plíis
No cuelgue

I'm afraid you've dialled the
  wrong number
*Áim afréid yuv dáiald de rong
  námbe*
**Me parece que se ha equivoca-
  do de número**

The number you've dialled is
  out of order
De námbe yuf dáiald is áut of órde
**El número marcado está fuera
  de servicio**

I'm putting you through
Áim pútin yu zru
Le paso

PRENSA

leer	to read	*tu ríid*
periódico	newspaper/paper	*niúspeipe/péipe*
prensa	press	*pres*
quiosco	newsagent	*niúseiyent*
revista	magazine	*mágasin*

El viajero dice...

¿Tiene prensa española?
¿Do you sell Spanish
newspapers?
Du yu sel spánish niúspeipers?

**¿Donde puedo consultar la
cartelera de teatro/cine?**
Where can I check theatre/film
listings?
Uér cánai chek zíete/film lístins?

**¿Cuanto cuesta el *Hello!*, por
favor?**
How much does *Hello!* cost,
please?
Jáu mach das jélou cost, plíis?

Quisiera el *Time out*, por favor
I'd like the *Time out*, please
Áid láik de táim áut, plíis

SALUD

EN GRAN BRETAÑA

Los residentes de la UE, siempre que presenten la Tarjeta Sanitaria Europea en vigor, tienen derecho a tratamiento médico gratuito a cargo de la Seguridad Social británica (NHS). Pero es conveniente suscribir un seguro médico particular, ya que algunos tratamientos no están cubiertos por la Tarjeta Sanitaria Europea, ni tampoco la repatriación.

Si cree que va a necesitar alguna medicina, pida a su médico que le escriba el nombre genérico del producto (no el comercial).

EN ESTADOS UNIDOS

Estados Unidos no dispone de servicio sanitario público y la asistencia médica, aunque excelente, está gestionada en su mayoría de forma privada, lo que eleva mucho su coste. Conviene suscribir un seguro médico de viaje que cubra posibles gastos médicos ocasionados por una enfermedad inesperada o por un accidente.

Si se está tomando alguna medicación conviene llevar la receta.

LETREROS DE UTILIDAD

Chemist's	Farmacia
Dentist	Dentista
Duty Chemist's	Farmacia de guardia
GP (general practitioner)	Médico de familia
Hospital	Hospital
NHS (National Health Service)	Servicio Nacional de Salud

EN LA FARMACIA

alcohol	alcohol	*álcojol*
algodón	cotton	*cóton*
ampolla	blister	*blíste*
analgésico	painkiller	*péinkilee*
anticonceptivo	contraceptive	*contraséptif*
antihistamínico	antihistamine	*antijístamin*
antipirético	antipyretic	*antipáiretic*
ardor de estómago	heartburn	*jártbern*
aspirina	aspirine	*áspirin*
catarro	cold	*cóuld*
cepillo de dientes	toothbrush	*túzbrash*
colirio	eye-drops	*ái drops*
colutorio/enjuage bucal	mouthwash	*máuzuash*
compresa	sanitary towel	*sánitari táuel*
conjuntivitis	conjunctivitis	*conyónktivaitis*
dentífrico	toothpaste	*tuzpéist*
estreñimiento	constipation	*constipéishon*
fiebre	temperature/fever	*témpreche/fíve*
gafas de cerca	reading glasses	*rídin gláses*
gafas	glasses	*gláses*
homeopatía	homeopathy	*jomeópazi*
insomnio	insomnia	*insómnia*
jarabe	syrup	*sérep*
laxante	laxative	*láxatif*
lentillas	lenses	*lenses*
lentillas duras/blandas	hard/soft lenses	*jard/soft lénses*
mareo	travel sickness	*trável síknes*
pañales	nappies	*nápis*
pastilla	pill/tablet	*pil/táblet*
periodo	period	*píriod*
picadura	bite/sting	*báit/stín*
pomada	ointment	*óintment*
preservativo	condom	*cóndom*

salud

receta	prescription	*preskrípshon*
resfriado	cold	*cóuld*
suero	saline solution	*séilain solúshon*
supositorio	suppository	*supósitori*
tampones	tampons	*támpons*
tapones para los oídos	ear plugs	*íe plags*
tensión sanguínea	blood pressure	*blad présher*
termómetro	thermometre	*cermómite*
test de embarazo	pregnancy test	*prégnansi test*
tirita	plaster	*pláste*
tomar la píldora	to be on the pill	*tubí on de pil*
torcedura	sprain	*sprein*
tortícolis	stiff neck	*stíf nek*
tos	cough	*cof*

En la farmacia el viajero dice...

¿Puede darme algo para...?
Can you give something for...?
Can yu gif me sámzin fóo...?

¿Necesito receta para...?
Do I need a prescription for...?
Du ái nid a preskrípshon fóo...?

¿Tiene algo para el insomnio?
Have you got something for insomnia?
Jaf yu got sámzin fóo insomnia?

¿Me puede tomar la tensión?
Can you take my blood pressure?
Can yu téik mái blad préshe?

¿Cómo se toma este medicamento?
How do I take this medicine?
Jáu du ái téik dis médisin?

Soy alérgico a...
I'm alergic to...
Áim aléyic tu...

¿Venden productos homeopáticos?
Do you sell homeopathic medicines/remedies?
Du yu sel jomeopázik médisins/ rémedis?

¿Puedo tomarlo si estoy embarazada?
Can I take this if I'm pregnant?
Cánai téik dis if áim prégnant?

El farmacéutico dice...

What do you usually take?
Uát du yu yúsuali téik?
¿Qué toma usted normalmente?

Sorry, we haven't got that
Sori, uí jávent got dat
Lo siento, no tenemos eso

You need a prescription for this
Yu nid a preskrípshon fóo dis
Para esto necesita una receta

You should see a doctor
Yu shud si a dókto
Debería ir al médico

EN LA CONSULTA DEL MÉDICO

análisis de orina	urine test	*iuráin test*
análisis de sangre	bood test	*blad test*
anginas	tonsilitis	*tonsiláitis*
antibiótico	antibiotic	*ántibaiotik*
alto/a	high	*jái*
bajo/a	low	*lóu*
asma	asthma	*ásma*
desinfectar	to disinfect	*tu dísinfekt*
penicilina	peniciline	*penísilin*
diabetes	diabetes	*dáiabitis*
diarrea	diarrhoea	*dáiaria*
doler	to hurt	*tu jert*

salud

Spanish	English	Pronunciation
dolor	pain	*péin*
dolor de cabeza	headache	*jédeik*
dolor de estómago	stomach-ache	*stómakeik*
dolor de garganta	sore throat	*sor zróut*
dolor de oído	earache	*íereik*
dolor muscular	muscle pain	*másel péin*
embarazada	pregnant	*prégnant*
embarazo	pregnancy	*prégnansi*
enfermedad	illness/disease	*ílnes/disíís*
enfermera	nurse	*ners*
enfermo	ill	*il*
escayola	plaster cast/cast	*pláster cast/cast*
fisioterapeuta	fisiotherapist	*fisiozérapist*
ginecólogo	gynaecologist	*yinecólogist*
gripe	flu	*flu*
hemorragia nasal	nosebleed	*nóusblid*
indigestión	indigestion	*indaiyéstion*
infección	infection	*infékshon*
insolación	sunstroke	*sánstrouk*
inyección	injection	*inyékshon*
medicamento	medicine	*médisin*
médico	doctor	*dókto*
mocos	running nose	*ránin nóus*
oftalmólogo	ophthalmologist	*oftalmólogist*
oreja/oído	ear	*ía*
paciente	pacient	*péishient*
pediatra	paeditrician	*pidiatríshan*
pierna	leg	*leg*
píldora anticonceptiva	pill	*pil*
recetar	to prescribe	*tu priskráib*
sarampión	measles	*mísels*
sarpullido	rash	*rash*
seguro médico	health insurance	*jelz insóransh*
tranquilizante	tranquilizer	*tránkuilaiser*

úlcera	ulcer	*álse*
vacuna	vaccine/shot	*váksin/shot*
varicela	chicken pox	*chíken pox*
venda	bandage	*béndech*
vomitar	to vomit/to be sick	*to vómit/tu bí sik*

En la consulta del médico el viajero dice...

Quiero pedir una cita
I'd like to make an appointment
Áid láik tu méik an apóintment

Tan pronto como sea posible
As soon as possible
As sun as pósibel

No me encuentro bien
I'm not feeling well
Áim not fílin uel

Me duele el estómago/la cabeza/la garganta
I have a stomach-ache/ headache/sore throat
Ái jaf a stómakeik/jédeik/sóo zróut

Tengo seguro médico privado
I've got private medical insurance
Áif got práivat médical inshórans

Necesito una receta para...
I need a prescription for...
Ái nid a preskripshon fóo...

Normalmente tomo...
I usually take...
Ái yúshuali téik...

Tengo tos
I've got a cough
Áif got a cof

Creo que tengo indigestión
I think I've got indigestion
Ái zink áif got indaiyéstion

Me ha salido un sarpullido
I've got a rash
Áif got a rash

Llevo así dos días
I've like this for two days
Áif bin láik dis fóo tu déis

salud

Soy diabético
I'm diabetic
Áim dáibetic

Necesito ver a un ginecólogo
I need to see a gynaecologist
Ái nid tu síi a yinecólogist

¿Puede mandarme a un especialista?
Can you refer me to a specialist?
Can yu rifée mi tu a spéshalist?

Me duele cuando respiro
It hurts when I breathe
It jerts uén ái bríiz

¿Cubre este tratamiento mi seguro?
Does my insurance policy cover this treatment?
Das mái inshórans pólisi cáve dis trítment?

El médico/la enfermera/ dice...

I am your doctor/nurse
Ái am yor dókto/ners
Soy su médico/su enfermera

Have you got medical insurance?
Jaf yu got médical inshórans?
¿Tiene seguro médico?

Lie down please
Lái dáun, plíis
Túmbese, por favor

Stand up, please
Stándap, plíis
Levántese, por favor

Sit up, please
Sítap, plíis
Incorpórese, por favor

What are you symptoms?
Uát ar yóo símptoms?
¿Qué síntomas tiene?

Where does it hurt?
Uée das it jert?
¿Dónde le duele?

I'm going to take your temperature
Áim góin tu téik yor témpreche
Le voy a tomar la temperatura

salud

I'm going to listen to your chest
Áim goin tu lísen tu yor chest
Le voy a auscultar

Take a deep breath
Téik a dip brez
Respire hondo, por favor

It's just a cold
Its yast a cóuld
Es un simple resfriado

I'm going to take your blood pressure
Áim goin tu téik yor blad préshe
Le voy a tomar la tensión

You've got high/low blood pressure
Yuf got jái/lóu blad préshe
Tiene usted la tensión alta/baja

We need to do some tests
Uí nid tu du sam tests
Tenemos que hacerle algunas pruebas

You've got the flu/an ear infection/measles
Yuj got de flu/an íer infékshon/mísels
Tiene usted gripe/infección de oídos/sarampión

I'm going to prescribe...
Áim góin tu preskráib...
Le voy a recetar...

I'm going to give you an injection
Áim góin tu gif yu an inyékshon
Le voy a poner una inyección

This shouldn't hurt
Dis shúdent jert
Esto no le dolerá

Take these tablets 3 times a day
Téik díis táblets zri táims a déi
Tome estas pastillas 3 veces al día

Every 6 hours
Évri six áuers
Cada 6 horas

With every meal
Uiz évri míil
Con cada comida

You must not eat/drink/smoke
Yu mast not it/drink/smóuk
No debe comer, beber, fumar

You should stay a couple of days in bed
Yu shud stéi a cápel of déis in bed
Debe quedarse en cama un par de días

You shouldn't travel
Yu shúdent trável
No debería viajar

You must drink plenty of liquids
Yu mast drink plénti of líkuids
Debe beber muchos líquidos

Follow a soft diet
Fólou a soft dáiet
Haga dieta blanda

You will soon feel better
Yu wil sun fíil béte
Pronto se sentirá mejor

You have to see a specialist
Yu jaf to si an spécialist
Tiene que ver al especialista

This wound is infected
Dis wund is infécted
Esta herida está infectada

Keep the bandage clean and dry
Kip de bándech clin an drái
**Mantenga el vendaje limpio
   y seco**

■ EN EL DENTISTA

abrir	to open	*tu oúpen*
abrir del todo	to open wide	*tu oúpen uáid*
boca	mouth	*máuz*
caries	cavity	*cáviti*
cerrar	to close	*tu clóus*
dentista	dentist	*déntist*
dolor de muelas	toothache	*túzeik*
empaste	filling	*fílin*
endodoncia	root canal	*rut canál*
funda	crown	*kráun*
muela del juicio	wisdom tooth	*úisdom túuz*

salud

En el dentista el viajero dice...

Me duele una muela
I've got toothache
Áif got túzeik

¿Me la puede arreglar?
Can you repair them?
Can yu ripée dem?

Se me ha caído un empaste/funda
I have lost a filling/crown
Ái jaf lost a fílin/cráun

¿Cuánto me costará?
How much will this cost?
Jáu mach wil dis cost?

Se me ha roto la dentadura
My dentures are broken
Mái dénchurs are bróuken

¿Me va a doler?
Will it hurt?
Wil it jert?

El dentista dice...

Open your mouth
Óupen yor máuz
Abra la boca

You need a filling/crown
Yu nid a fílin/cráun
Necesita un empaste/una funda

When was the last time you went to the dentist?
Uén wos de last táim yu went tu de déntist?
¿Cuándo fue la última vez que fue al dentista?

You need a root canal
Yu nid a rut canál
Necesita una endodoncia

It's your wisdom tooth
Its yor uísdom tuz
Es la muela del juicio

You have a cavity in your tooth
Yu jaf a cáviti in yor tuz
Tiene una caries en un diente

salud

EMERGENCIAS

EN GRAN BRETAÑA

En caso de emergencia marque el 999 para llamar a la policía, la ambulancia y los bomberos. La llamada es gratuita. En las zonas costeras, el 999 le pone en contacto con el servicio de guardacostas: **Royal National Lifeboat Institute**.

EN ESTADOS UNIDOS

En caso de emergencia, el número de teléfono 911 facilita servicios de bomberos, policía y asistencia médica. La llamada es gratuita desde cualquier cabina telefónica. **Traveler's Aid Society** (800 327-2700) se ocupa de proporcionar asistencia a viajeros que se encuentren en apuros o necesiten ayuda urgente.

LETREROS DE UTILIDAD

Emergency	Urgencias
Emergency Exit	Salida de emergencia
Fire Exit	Salida de incendios
First Aid	Primeros auxilios
Hospital	Hospital
Instructions in case of fire	Instrucciones en caso de incendio
Police	Policía
Spanish Embassy	Embajada de España
Spanish Consulate	Consulado de España

o positivo	o positive	*óu pósitif*
a positivo/negativo	a positive/negative	*ei pósitif/négatif*
accidente de coche	car accident	*car áksident*
accidente	accident	*áksident*
alergia	allergy	*áleryi*
alérgico	allergic	*aléryik*
ambulancia	ambulance	*ámbulans*
anestesia epidural	epidural anaesthesia	*épidural aneszísha*
anestesia general	general anaesthesia	*yéneral aneszísha*
anestesia local	local anaesthesia	*lóucal aneszísha*
anestesista	anaesthesist	*anészesist*
apendicitis	appendicitis	*apéndisaitis*
ayuda	help	*jelp*
b positivo	b positive	*bi pósitif*
botiquín	first aid kit	*férst éid kit*
cirujano	surgeon	*séryen*
columna vertebral	spine	*spáin*
conmoción	concussion	*concáshon*
consulta	surgery	*sérgeri*
consulta dental	dental surgery	*dental sérgeri*
contagioso	contagious	*contéiyes*
contracciones	contractions	*contrákshons*
dar de alta	to discharge	*tu dischárch*
darse prisa	to hurry up	*tu járri ap*
dolor	pain	*péin*
fractura	fracture	*frákchor*
grupo sanguíneo	blood group	*blad grup*
herida	wound	*wund*
herido	injured	*ínyerd*
infarto	heart attack	*jart atáck*
intoxicación alimentaria	food poisoning	*fud póisonin*
náuseas	nausea	*nósha*
neumonía	pneumonia	*niumónia*

parada cardiaca	heart arrest	*jart arést*
parto	labour	*léibo*
peligro	danger	*déinyer*
penicilina	peniciline	*penísilin*
perder la consciencia	to lose consciousness	*tu lúus cónshosnes*
primeros auxilios	first aid	*ferst éid*
puntos	stitches	*stíchis*
quemadura	burn	*bern*
quirófano	operating room/theatre	*operéitin rum/zíete*
reanimación	resucitation	*resusitéishon*
recuperar la consciencia	to come around	*tu kam aráund*
riesgo	risk	*risk*
sangre	blood	*blad*
sala de espera	waiting room	*uéiting rum*
seropositivo	HIV positive	*áich ái vi pósitif*
transfusión	transfusion	*transfiúshon*
UCI	ICU	*ei si yu*
úlcera	ulcer	*álse*

PARTES DEL CUERPO

abdomen	abdomen	*ábdomen*
arteria	artery	*árteri*
bazo	spleen	*splín*
cabeza	head	*jed*
cadera	hip	*jip*
cerebro	brain	*bréin*
codo	elbow	*élbou*
corazón	heart	*jart*
cuello	neck	*nek*

dedo (de la mano)	finger	*fínge*
dedo (del pie)	toe	*tóu*
espalda	back	*bak*
frente	forehead	*fórjed*
hígado	liver	*líve*
hombro	shoulder	*shóulde*
músculo	muscle	*másel*
muslo	thigh	*zái*
muñeca	wrist	*rist*
nariz	nose	*nóus*
pecho	chest	*chest*
ojo	eye	*ái*
pestaña	eyelid	*áilid*
pulmón	lung	*lán*
riñón	kidney	*kídni*
rodilla	knee	*níi*
vena	vein	*véin*
vejiga	bladder	*bládee*
vesícula	vesicle	*vésikel*

OTRAS EMERGENCIAS

amenazar	to threaten	*tu zréten*
arma	weapon	*uépon*
atacar	to attack	*tu aták*
atracar	to mug	*tu mag*
bomberos	firemen	*fáiemen*
cartera	wallet	*uálet*
carterista	pickpocket	*píkpoket*
chocar	crash	*krash*
comisaría de policía	police station	*polistéishon*
consulado	consulate	*cónsieleit*

emergencias

Spanish	English	Pronunciation
denunciar un delito	to report a crime/an offence	tu ripórt a kráim/ an oféns
descripción	description	deskrípshon
documentos	documents/papers	dókiuments/péipers
embajada	embassy	émbasi
evacuación	evacuation	evacuéishon
formulario	form	form
fuego/incendio	fire	fáie
inundación	flood	flad
ladrón	thief	zíif
marca	make	méik
modelo	model	módel
monedero	purse	pérs
número de matrícula (del coche)	vehicle registration	véikel reyistréishon
oficial a cargo de la investigación	investigating officer	invéstigatin ófise
pasaporte	passport	pásport
policía	police	polís
reclamar	to claim	tu kleim
robar	to steal/ to rob	to stíil/ tu rob
robo	theft/robbery	zeft/ róberi
ser testigo de	to witness	tu uítnes
sospechar	to suspect	tu sospékt
sospechosos	suspects	sáspects
tener una avería en el coche	to have a breakdown	tu jaf a bréikdaun
testigo	witness	uítnes
timo/estafa	swindle	súindel
trámites	procedure	prosídiu
víctima	victim	victim
violación	rape	réip

emergencias

209

En la calle el viajero dice...

¡Ayuda!
Help!
Jelp!

Esto es una emergencia
This is an emergency
Dis is an eméryensi

¡Cuidado!
Watch out!/ Careful!
Uacháut!/Kérful!

Por favor, llamen a una ambulancia
Please, call an ambulance
Plíis, col an ambuláns

¡Rápido, por favor!
Hurry up, please!
Jári ap, plíis!

Que alguien llame al 999
Will somebody please dial 999?
Wil sámbodi plíis dáial náin náin náin?

¿Dónde está el hospital/la comisaría más cercano/a?
Where's the nearest hospital/ police station?
Uérs de níerest jóspital/ polísteishon?

Llamen a la policía
Call the police
Col de polís

En el servicio de urgencias del hospital el viajero dice...

Necesito un médico
I need to see a doctor
Ái need tu si a dóckto

Soy seropositivo
I'm HIV positive
Áim eich ai vi pósitif

He tenido un accidente
I've had an accident
Áif jad an áksident

Estoy sangrando
I'm bleeding
Áim blídin

Mi hija está enferma
My daughter is sick
Mái dóte is sik

Estoy embarazada de 4 semanas
I'm four weeks pregnant
Áim fóo uiks prégnant

Soy alérgico a...
I'm allérgic to...
Áim aléryik tu...

Mi mujer se ha desmayado
My wife has fainted
Mái uáif jas féinted

El médico/la enfermera dicen...

Please, lie still
Plis, lái stil
Por favor, no se mueva

Stay calm
Stéi cam
Mantenga la calma

Roll over to your side
Rol óuve tu yor sáid
Póngase de costado

Any allergies?
Éni áleryis?
¿Es usted alérgico a algo?

Are you taking any medication?
Ar yu téikin éni medikéishon?
¿Toma usted alguna medicación?

Point to where it hurts
Póint tu uér it jerts
Señale dónde le duele

Does it hurt mildly, moderately, or severly?
Das ir jert máildi/moderéitli óo sevíerli?
¿El dolor es leve, moderado o intenso?

You need stitches
Yu nid stíchis
Tenemos que darle puntos

We're going to give you something for the pain
Uír góin to gif yu sámzin fóo de péin
Vamos a darle algo para el dolor

emergencias

211

There's risk of infection
Ders risk of infékshon
Hay riesgo de infección

You've got appendicitis
Yuf got apendisáitis
Tiene usted apendicitis

Your husband is having a heart attack
Yor jásband is jávin a jártatak
Su marido está teniendo un infarto

You need an operation
Yu nid an operéishon
Tenemos que operarle

Your wife is in labour
Yor uáif is in leíbo
Su mujer está de parto

She needs a c-section
Shi nids a sisékshon
Tenemos que hacerle una cesárea

You're going to x-ray
Yor góin tu íxréi
Vamos a hacerle unas radiografías

You're going to the operating room/theater
Yor góin tu de operéitin rum/zíete
Van a llevarle al quirófano

You need to remain in observation
Yu nid tu riméin in observéishon
Tiene que quedarse en observación

You need to be admitted
Yu nid tu bi admíted
Tenemos que ingresarle

You will be discharged soon
Yu wil bi dischárchd sun
Pronto le daremos el alta

El agente de policía/el funcionario dice...

How can I help you?
Jáu can ái jelp yu?
¿Qué puedo hacer por usted?

When did this happen?
Uén did dis jápen?
¿Cuándo ha ocurrido?

You need to fill in this form
Yu nid tu fil in dis form
Rellene este formulario

Please sign here
Plis, sáin jíe
Por favor, firme aquí

You should go to your
Embassy/Consulate
*Yu shud góu tu yor émbasi/
cónsieléit*
**Debe acudir a su embajada/
consulado**

You need to file a complaint
Yu nid tu fáil a compléint
Deberá poner una denuncia

En la comisaría de policía el viajero dice...

Disculpe, ¿puede ayudarme?
Excuse me, ¿can you help me?
Exkiúsmi, can yu jelp mi?

**Me han robado el bolso/la tar-
jeta de crédito/el pasaporte**
My bag/credit card/passport
has been stolen
*Mái bag/crédit card/pásport jas
bin stóulen*

Nos han robado
We've been robbed
Uif bin robd

Me han atracado
I've been mugged
Áif bin mágd

A punta de pistola/cuchillo
At gun/knife point
At gan/náif póint

Iban armados
They were carrying weapons
Déi uée cárriin uépons

**He perdido mi carné de
identidad**
I've lost my identity card
Áif lost mái aidéntiti card

Por favor, llamen a un traductor
Please, call a translator
Plis, col a transléito

Necesito un abogado
I need to see a lawyer
Ái nid tu si a lóie

A

a	to	*tu*
a la derecha	on the right	*ónde ráit*
a la izquierda	on the left	*ónde left*
abadía	abbey	*ábi*
abajo	down	*dáun*
abierto	open	*óupen*
abrelatas	can opener	*can óupene*
abrigo	overcoat	*óuvecout*
abril	april	*éipril*
abrir	to open	*tu óupen*
acampar	to camp	*tu camp*
accidente	accident	*áksident*
aceite	oil	*óil*
aceituna	olive	*ólif*
acelerador	accelerator pedal	*akseleréito pédal*
aceptar	to accept	*tu aksépt*
acomodador	usher	*áshe*
adaptador	adaptor	*adápto*
adiós	goodbye	*gudbái*
aeropuerto	airport	*érport*
agencia de viajes	travel agency	*trável éiyensi*
agencia	agency/state agent	*stéit éiyent*
agente de aduana	customs officer	*cástoms ófise*
agente de policía	police officer/ constable	*polís ófise/ cónstabel*
agosto	august	*ógost*
agradable	pleasant	*plésant*
agua	water	*uáta*
ahora	now	*náu*
aire acondicionado	air conditioning	*ea condíshonin*
aire	air	*éa*
ajo	garlic	*gárlic*

albaricoque	apricot	*ápricou*
alcachofa	artichoke	*ártichouk*
alcaparras	capers	*kéipers*
alcohol	alcohol	*álcojol*
alergia	allergy	*áleryi*
alérgico	allergic	*alérgik*
algodón	cotton	*cóton*
alguien	somebody	*sámbodi*
algunos/as	some	*sam*
alimentos	groceries	*gróuseries*
aliño para ensalada	salad dressing	*sálad drésin*
allí	there/over there	*déa/óuve déa*
almeja	clam	*clam*
almendra	almond	*áamond*
almohada	pillow	*pílou*
almuerzo	lunch	*lanch*
alquilar	to hire/to rent	*tu jáir/tu rent*
alto/a	high	*jái*
alubias	beans	*bins*
amarillo	yellow	*yélou*
ambulancia	ambulance	*ámbulans*
amenazar	to threaten	*tu zréten*
ampolla	blister	*blíste*
analgésico	painkiller	*péinkilee*
anchoa	anchovy	*ánchovi*
ancla	anchor	*ánko*
andén	platform	*plátform*
anginas	tonsilitis	*tonsiláitis*
anillo	ring	*rin*
antes	early on/earlier	*érli on/érlie*
anteayer	the day before	*de déi bifó*
antibiótico	antibiotic	*antibaiótik*
anticonceptivo	contraceptive	*contraséptif*
anticuario	antique dealer	*antík díler*
antigüedades	antiques	*antíks*

antihistamínico	antihistamine	*antijístamin*
antipirético	antipyretic	*ántipairetic*
año nuevo	new years day	*niú yíers déi*
aparcamiento	car park	*cáa park*
aperitivo	snack	*snák*
aprender	to learn	*lu lern*
apretado	tight	*táit*
aquí	here	*jíe*
árbol	tree	*tríi*
ardor de estómago	heartburn	*jártbern*
arma	weapon	*uépon*
arquitecto	architect	*árkitect*
arquitectura	architecture	*árkitekshor*
arriba	up	*ap*
arroz	rice	*ráis*
arte	art	*art*
arteria	artery	*árteri*
artículos de papelería	stationery	*stéishoneri*
artículos electrónicos	electricals	*eléctricals*
artista	artist	*ártist*
ascensor	lift	*lift*
asiento	seat	*síit*
aspirina	aspirine	*áspirin*
atacar	to attack	*tu aták*
atasco	traffic jam	*tráfic yam*
aterrizar	to land	*tu land*
atracar	to mug	*tu mag*
atreverse	to dare	*tu déa*
atún	tuna	*tiúna*
autobús	bus	*bas*
autocar	coach	*cóuch*
autopista	motorway	*mótouei*
autovía	carriageway	*cárriechuei*

avellana	hazelnut	*jéiselnat*
avión	plane/aircraft	*pléin/ércraft*
ayer	yesterday	*yésterdei*
ayuda	help	*jelp*
ayudar	to help	*tu jelp*
ayuntamiento	town hall	*táun jol*
azafata	stewardess	*stiúedes*
azúcar	sugar	*shúga*
azul	blue	*blu*

■ B

barbacoa	barbecue	*bárbekiu*
babero	bib	*bib*
bajar	to get off	*tu get of*
bajo/a	low	*lóu*
ballet	ballet	*baléi*
balón	ball	*bol*
banco	bank	*bank*
banda ancha	broadband	*bródband*
bandeja	tray	*tréi*
bandera	flag	*flag*
bañador	swimsuit (mujer)/ trunks(hombre)	*suímsut/tranks*
bañera	bath	*baz*
baño	bathroom	*bázrum*
bar	bar	*báa*
barato	cheap	*chíip*
barca	boat	*bóut*
barra	counter	*cáunte*
bastante/suficiente	enough	*ináf*
basura	rubbish	*rábish*
batido	milkshake	*mílksheik*
bebé	baby	*béibi*
beber	to drink	*tu drink*
biberón	baby's bottle	*béibis bótel*

bicicleta	bycicle/bike	*báisikel/báik*
bidet	bidet	*bidéi*
billete de ida y vuelta	return ticket	*ritérn tíket*
billete sencillo/ de ida	single/one way ticket	*síngel/uán uéi tíket*
billetes	banknotes/notes	*bánknouts/nóuts*
billetes (transporte)	tickets	*tíkets*
bistec	steak	*stéik*
blanco	white	*uáit*
blusa	blouse	*bláus*
bodega	hold	*jóuld*
bolígrafo	pen	*pen*
bolsillo	pocket	*póket*
bolso	handbag	*jándbag*
bomba	bomb	*bom*
bomberos	firemen	*fáiemen*
bonobús	bus & tram pass	*básan tram pas*
botas	boots/tall boots	*buts/tol buts*
botella	bottle	*bótel*
botines	low boots	*lóu buts*
botiquín	first aid kit	*férst eid kit*
botón	button	*báton*
botones	porter	*pórte*
braguitas	panties	*pántis*
brindar	to make a toast	*tu méik a tóust*
brindis	toast	*tóust*
bueno	good	*gud*
buey	beef	*bif*
bufanda/fular	scarf	*skárf*
buscar/registrar	to search	*tu serch*
buzón	mailbox/postbox	*méilbox/póustbox*

C

caballero	gentleman	*yéntelman*
caballo	horse	*jors*

cabina	phonebox	*fóunbox*
caja de cambios	transmision	*transmíshon*
caja fuerte	safe	*séif*
caja	box	*box*
cajera	cashier	*káshie*
cajero automático	cash machine/ATM	*cash mashín/ ei ti em*
cajero	cashier	*cáshiee*
calamar	squid	*skuid*
calefacción	heating	*jítin*
calendario	calendar	*kálenda*
calentador de agua	water heater	*uáta jíte*
calentar	to heat up	*tu jit ap*
caliente	hot	*jot*
calle	street/road	*strit/róud*
callejero	street map	*strit map*
calor	heat	*jit*
calzado	shoewear	*shúwea*
calzoncillos	underpants	*ánderpans*
cama	bed	*bed*
cama supletoria	extra bed	*éxtra bed*
cámara de vídeo	camcorder	*camcórdee*
cámara fotográfica	camera	*cámera*
camarera (de hotel)	maid	*méid*
camarero/a	waiter/tress	*uéite/uéitres*
camarote	cabin	*cábin*
cambiar	to change	*tu chéinch*
cambio (de moneda)	exchange	*exchéinch*
caminar	to walk	*tu uók*
camisa	shirt	*shert*
camiseta	t-shirt	*tíshert*
camisón	nightdress	*náitdres*
campana	bell	*bel*
campo	countryside	*cáuntrisaid*
cancelar	to cancel	*tu cánsel*

cangrejo	crab	*crab*
canguro	babysitter	*béibisite*
caña de pescar	fishing rod	*físhin rod*
caravana	caravan	*cáravan*
carbon	charcoal	*chárkoul*
carne	meat	*mit*
carnet de conducir	driving licence	*dráivin láisens*
carnet de identidad	(national) identity card	*náshional aidéntiti card*
caro	expensive	*expénsif*
carril	lane	*léin*
carrito de postres	sweet trolley	*suít tróli*
carrito de supermercado	shopping cart	*shópin cart*
carro portaequipajes	trolley	*tróli*
carta certificada	registered mail	*reyísterd méil*
carta de vinos	wine list	*uáin list*
carta	letter	*léta*
carta (restaurante)	menu	*méniu*
cartel	poster	*póuster*
cartelera	film listings	*film lístins*
cartera	wallet	*uálet*
cartero	postman	*póustman*
casa	house	*jáus*
casco	helmet	*jélmet*
casero	homemade	*jóum méid*
castillo	castle	*cásel*
catálogo	catalogue	*cátalog*
catarro	cold	*cóuld*
catedral	cathedral	*cazídral*
cd	cd	*si di*
cebolla	onion	*ónion*
cebra	zebra	*síbra*
ceder el paso	to give way	*tu gif uéi*
celiaco	celiac	*síliac*

cementerio	cemetery	*sémeteri*
cena	dinner	*díne*
cenicero	ash tray	*áshtrei*
centímetro	centimetre	*séntimite*
central	central	*séntral*
centro de la ciudad	city centre	*síti sénte*
cepillo de dientes	toothbrush	*tuzbrásh*
cerca	near/close by	*nía/clóus bai*
cerdo	pork	*pork*
cereales	cereal	*sírial*
cerebro	brain	*bréin*
cerrado	closed	*clóusd*
cerrar	to close	*tu clóus*
cerveza	beer	*bía*
cerveza de barril	draught beer	*draft bía*
chalet	cottage	*cótech*
chanclas	flip-flops	*flípflops*
chándal	tracksuit	*tráksut*
chaqueta	jacket	*yáket*
chaqueta (de punto)	cardigan	*cárdigan*
cheque	cheque	*shek*
chocar	to crash	*tu krash*
chocolate/bombones	chocolates	*chókoleits*
chuletas	chops	*chops*
cine	cinema	*sínema*
cinta transportadora	conveyor belt	*convéio belt*
cinturón	belt	*belt*
cinturón de seguridad	safety belt	*séifti belt*
ciruela	plum	*plam*
cirujano	surgeon	*séryen*
ciudad vieja	old town	*óuld táun*
claro	light	*láit*
clásico	classic/classical	*clásik/clásikal*
claustro	cloister	*clóiste*
cliente	customer	*cástome*

climatizado/a	heated	jíted
cobrar un cheque	to cash a cheque	tu cash a shek
cobrar	to charge	to charch
coca-cola	coke	cóuk
cocina	kitchen	kíchen
cóctel	cócktail	cócteil
código postal	postcode	póustcoud
coger	to catch	tu cach
coger/tomar	to take	tu téik
cola	queue	kiú
colchón	matress	mátres
collar	necklace	nékles
color	colour	cólo
columna vertebral	spine	spáin
colutorio/enjuage bucal	mouthwash	máuzuash
comedor	dining room	dáinin rum
comer	to eat	tu ít
comisaría de policía	police station	polistéishon
comisión	comission	comíshon
compañía aérea	airline	érlain
compartir	to share	tu shée
complicado	complicated	cómplikeited
comprar	to buy	tu bái
comprender/entender	to understand	tu anderstánd
compresa	sanitary towel	sánitari táuel
comprobar	to check	tu chek
con	with	úiz
concierto	concert	cónsert
conductor	driver	dráive
congelado	frozen	fróusen
congelador	freezer	fríse
conjuntivitis	conjunctivitis	conyónktivaitis
consigna	left luggage office/locker	left láguech ófis/lóke

consulado	consulate	*cónsieleit*
consulta	surgery	*séryeri*
consulta dental	dental surgery	*dental séryeri*
contagioso	contagious	*contéiyes*
contra	against	*agénst*
contracciones	contractions	*contrákshons*
corazón	heart	*jart*
corbata	tie	*tái*
cordero	lamb/moutton	*lam/máton*
correo urgente	express mail	*exprés méil*
costar	to cost	*tu cost*
cremallera	zip	*sip*
cruce	crossroads	*crósrouds*
crucero	cuise	*crus*
crudo	raw	*róo*
cuaderno	notebook	*nóutbuk*
cuadro	painting	*péintin*
cuarto de baño	bathroom	*bázrum*
¿cuál?	which?	*uich?*
¿cuándo?	when?	*uén?*
cubierta	deck	*dek*
cubito de hielo	ice cube	*áis kiúb*
cuchara	spoon	*spún*
cuchillo	knife	*náif*
cuenta	bill	*bil*
cuenta corriente	checking/current account	*chékin/cárent acáunt*
cuenta de correo electrónica	email account	*ímeil acáunt*
cueva	cave	*kéif*
cuna	cot	*cot*
cúpula	dome	*dóum*
curiosear	to browse	*tu bráus*

de moda	trendy	*tréndi*
dejar/marcharse	to leave	*tu líif*
dejar propina	to leave a tip	*tu líif a tip*
demasiado	too	*tu*
dentífrico	toothpaste	*túzpeist*
dentista	dentist	*déntist*
dentro	inside	*insáid*
denunciar	to report	*tu ripórt*
deportivas	trainers/sneakers	*tréiners/sníkers*
depósito	fuel tank	*fíuel tank*
desayuno	breakfast	*brékfast*
descansar	to rest	*tu rest*
descuento	discount	*díscount*
desinfectar	to disinfect	*tu dísinfekt*
despertar	to wake up	*tu uéik ap*
después	later on/later	*léiter on/léite*
después de	after	*áfte*
destinatario	addressee	*adresí*
deuda	debt	*det*
devolver	to return	*tu rítern*
dia	day	*déi*
diabetes	diabetes	*dáiabitis*
diarrea	diarrhoea	*dáiaria*
diciembre	december	*dísémbe*
diez	ten	*ten*
dinero	money	*máni*
dinero en metálico	cash	*kash*
dirección	address	*adrés*
discapacitados auditivos	hearing impaired	*jírin impérd*
discapacitados visuales	visually impaired	*víshuali impérd*
docena	dozen	*dósen*
documentos	documents/papers	*dókiuments/*

		péipers
doler	to hurt	*tu jert*
dolor	pain	*péin*
¿dónde?	where?	*uée?*
domingo	sunday	*sándei*
dormir	to sleep	*tu slíip*
dormitorio	bedroom	*bédrum*
ducha	shower	*sháue*
duda	doubt	*dáut*
dulce	sweet	*suít*
durante	during	*diúrin*

E

edificio	building	*bíldin*
edulcorante	sweetener	*súitene*
elegir	to choose	*tu chúus*
embajada	embassy	*émbasi*
embarazada	pregnant	*prégnant*
embarcadero	pier	*píe*
embarcar	to board	*tu bord*
embrague	clutch	*clách*
empaste	filling	*fílin*
empezar	to begin/to start	*tu bigín/tu start*
empujar	to push	*tu push*
en su punto	medium	*mídium*
en venta	for sale	*fóo séil*
en	in/on/at	*in/on/at*
enchufe	socket	*sóket*
enero	january	*iánuari*
enfermedad	illness/disease	*ílnes/disíis*
enfermera	nurse	*ners*
enfermo	ill	*il*
entrada	entrance	*éntrans*
entrante	starter/appetiser	*stárte/ápetáise*
entre	between	*bitúin*

entreacto	intermission/interval	*intermíshon/ ínterval*
entremeses	hors d'oeuvres	*or durvs*
enviar	to send	*tu send*
equipaje	luggage/baggage	*láguech/báguech*
equipaje de mano	hand luggage/ baggage	*jandláguech/ báguech*
equipo	team	*tim*
escalas (barco)	port calls	*port cols*
escaleras	stairs	*sters*
escaleras mecánicas	escalator	*escaléitóo*
escalón	step	*stép*
escaparate	shop window	*shop uíndou*
escribir	to write	*tu ráit*
escultura	sculpture	*skálpche*
especias	spices	*spáises*
espejo retrovisor	rear view mirror	*rié viú miro*
esperar	to wait	*tu uéit*
estación de metro	underground station	*ándergraund stéishon*
estación de tren	railway station	*réiluei stéishon*
estancia	stay	*stéi*
estanco	tobacconist	*tobáconist*
estantes	shelves	*shelfs*
estreno	premiere	*prímie*
estreñimiento	constipation	*constipéishon*
euros	euros	*yúros*
evacuación	evacuation	*evacuéishon*
excepto	except	*exépt*
excursión	trip	*trip*
exposición	exhibition	*exibíshon*

F

facturación	check-in	*chek in*
falda	skirt	*skert*

famoso	famous	*féimos*
faros	headlights	*jédlaits*
febrero	february	*fébruari*
fecha	date	*déit*
fianza	deposit	*depósit*
fideos	noodles	*núdels*
fiebre	temperature/fever	*témpreche/fíve*
fila	row	*róu*
fin de semana	weekend	*uíkend*
firma	signature	*sígnachor*
firmar	to sign	*tu sáin*
flor	flower	*fláue*
folleto	brochure	*bróusha*
formulario	form	*form*
fotocopia	photocopy	*fótocopi*
frambuesa	raspberry	*ráspberi*
franqueo	postage	*póstech*
freno	brake	*bréik*
fresa	strawberry	*stróberi*
fresco	fresh	*fresh*
frío (enfriado)	chilled	*child*
frío	cold	*cóuld*
frito	fried/deep-fried	*fráid/dip fráid*
fruta	fruit	*frut*
frutos rojos	berries	*béris*
fuego/incendio	fire	*fáie*
fuera	outside	*áutsaid*
función/ representación	performance	*perfórmans*
fútbol	soccer	*sóke*

G

gabardina	raincoat	*réincout*
gafas	glasses	*gláses*
galería	gallery	*gáleri*

gamba	prawn	*pron*
ganga	bargain	*bárguen*
garaje	garage	*gárach*
gasoil	diesel	*dísel*
gasolina	petrol	*pétrol*
gato	cat	*cat*
gato (de coche)	jack	*yak*
gente/personas	people	*pípol*
ginebra	gin	*yin*
ginecólogo	gynaecologist	*yinecólogist*
giro postal	money order	*máni órde*
grande	big/large	*big/larch*
grandes almacenes	department store	*dipártment store*
grifo	tap	*tap*
gripe	flu	*flu*
gris	grey	*gréi*
grúa	breakdown van	*bréikdaun van*
guantes	gloves	*glafs*
guardarropa	cloakroom	*clóukrum*
guarnición	side dish	*sáid dish*
guía de teléfonos	phone book/ telephone directory	*fóun buk/teléfoun dairéktori*
guía de viaje	travel guide	*trável gáid*
guía turístico	guide	*gáid*
guisantes	peas	*píis*
gustar	to like	*tu ldik*

H

habitación	room	*rum*
hablar	to speak	*tu spik*
hacer	to make	*tu méik*
hacia	towards	*tuárds*
hamburguesa	hamburger	*jámberge*
helado	ice cream	*áis crim*
herida	wound	*wund*

herido	injured	*ínyerd*
hielo	ice	*áis*
hola	hello/hi	*jelóu/jái*
hombro	shoulder	*shóulde*
homeopatía	homeopathy	*jomeópazi*
hora	hour	*áue*
horario	opening hours/ timetable	*ópenin áuers/ táimteibol*
huelga	strike	*stráik*
huésped	guest	*guest*
huevos	eggs	*egs*

I

iglesia	church	*cherch*
importante	important	*impórtant*
impreso	form	*form*
impresora	printer	*príntee*
imprimir	to print	*tu print*
incluir	to include	*tu inclúd*
indigestión	indigestion	*indaiyéstion*
infección	infection	*infékshon*
información	information	*informéishon*
ingresar	to deposit	*tu depósit*
insolación	sunstroke	*sánstrouk*
insomnio	insomnia	*insómnia*
inspector	inspector	*inspékto*
intermitente	indicator	*índikeito*
intoxicación alimentaria	food poisoning	*fud póisonin*
inundación	flood	*flad*
invierno	winter	*uínte*
invitar	to invite	*tu inváit*
inyección	injection	*inyékshon*
ir	to go	*tu góu*
ir de compras	to go shopping	*tu góu shópin*

J

jamón	ham	*jam*
jarabe	syrup	*sérep*
jardín	garden	*gárden*
jarra	jug/pitcher	*yag/píche*
jefe	boss	*bos*
jersey	pullover	*púlove*
joya	jewel	*yúul*
joyería	jeweller's	*yúulers*
jueves	thursday	*zérsdei*
juguete	toy	*tói*
julio	july	*yulái*
junio	june	*yun*

K

| kilómetro | kilometre | *kílomite* |

L

ladrón	thief	*zíif*
lago	lake	*léik*
lana	wool	*wul*
langosta	lobster	*lóbste*
lápiz	pencil	*pénsil*
largo	long	*lon*
lavabo	sink	*sink*
lavadora	washing machine	*uáshin rnashin*
lavandería	launderette	*londrét*
lavar	to wash	*tu uásh*
laxante	laxative	*láxatif*
lechuga	lettuce	*létes*
lejos	far/a long way	*fáa/a long uéi*
lencería	lingerie	*língeri*
lenguado	sole	*sóul*
lentillas	lenses	*lénses*
libra (medida)	ounze	*áuns*

libra esterlina	sterling pound /pound	*stérling páund/ páund*
libre	vacant	*véicant*
librería	bookshop	*búkshop*
libro	book	*buk*
licores	spirits	*spírits*
limón	lemon	*lémon*
limpiar	to clean	*tu clin*
lino	linen	*línen*
linterna	torch	*torch*
lista de correos	poste restante	*post restánt*
litera (en el tren)	berth	*berz*
llamar	to call	*tu col*
llave	key	*ki*
llavero	keyring	*kírin*
llegadas	arrivals	*aráivals*
llegar	to arrive	*tu aráif*
llevar	to take/to carry	*tu téik/tu cári*
lluvia	rain	*réin*
luces de emergencia	hazard warning lights	*jásard uórnin láits*
luces traseras/ delanteras	front/rear lights	*front/ríe láits*
lunes	monday	*mándei*
luz	light	*láit*

M

madera	wood	*wud*
madre	mother	*mádee*
maleta	suitcase	*sútkeis*
malo	bad	*bad*
manga	sleeve	*slíif*
manta	blanket	*blánket*
mantel	tablecloth	*téibelcloz*
mantequilla	butter	*báte*
manzana	apple	*ápel*

mañana	morning	*mórnin*
mar	sea	*síi*
marca	brand/make	*brand/méik*
marcar (teléfono)	to dial	*tu dáial*
marcha	gear	*guíe*
marcha atrás	reverse gear	*rivérs gíe*
marco	frame	*fréim*
mareo	travel sickness	*trável síknes*
marisco	seafood	*sífud*
marrón	brown	*bráun*
martes	tuesday	*chúsdei*
marzo	march	*march*
mascotas	pets	*pets*
mayo	may	*méi*
mayonesa	mayonnaise/mayo	*máiones/máio*
mayor/viejo	old	*óuld*
media pinta	half pint	*jaf páint*
medianoche	midnight	*mídnait*
medicamento	medicine	*médisin*
médico	doctor	*dókto*
medio/mitad	half	*jaf*
mediodía	noon	*nun*
mejillón	mussel	*másel*
melocotón	peach	*pich*
melón	melon	*mélon*
mensaje	message	*mésech*
menta	mint	*mint*
mercadillo callejero	street/road market	*strit/róud márket*
merluza	hake	*jéik*
mesa	table	*téibol*
metro (medida)	metre	*míte*
metro (transporte)	underground/tube	*ándergraund/tíub*
metrobús	travel card	*trável card*
mientras	while	*uáil*
miércoles	wednesday	*uéndsdei*

mil	thousand	*záusend*
minuto	minute	*mínit*
mochila	backpack	*bákpak*
moda para hombre	menswear	*ménswee*
moda para mujer	womenswear	*uímenswee*
moda para niños	childrenswear	*chíldrenswee*
moderno	modern	*módern*
molestar	to disturb	*tu distérb*
monasterio	monastery	*mónastri*
moneda	coin	*cóin*
monedero	purse	*pérs*
monumento	monument	*móniument*
morado	purple	*pérpel*
mosquito	mosquito	*moskítous*
mostaza	mustard	*mástard*
mostrador de información	information desk	*informéishon desk*
mostrador/barra	desk/counter	*desk/cáunte*
motor	engine	*ényin*
muchos	many	*méni*
muelle	dock/quay	*dok/kíi*
mujer	woman	*wúman*
muletas	crutches	*cráches*
multa	fine	*fáin*
murallas	walls	*uols*
museo	museum	*miusíam*
musica	music	*míusik*
muy	very	*véri*

N

nadar	to swim	*tu suím*
naranja	orange	*orénch*
náuseas	nausea	*nósha*
navegar	to navigate	*tu návigeit*
navidad	christmas	*krísmas*

necesitar	to need	*tu níid*
negro	black	*blak*
nevera	fridge	*frich*
niña/chica	girl	*gerl*
niño/chico	boy	*bói*
no	no/not	*nóu/not*
noche	night	*náit*
nochebuena	christmas eve	*krismas íif*
nombre	name	*néim*
novia	bride	*bráid*
noviembre	november	*novémbe*
novio	bridegroom	*bráidgrum*
nuez	walnut	*uálnot*
número	number	*námbe*

■ O

o/u	or	*óo*
obra de teatro	play	*pléi*
octubre	october	*octóube*
ocupado	occupied	*ókiupaid*
oficina de turismo	tourist office	*túrist ófis*
ojal	button hole	*báton jóul*
ojo	eye	*ái*
ópera	opera	*ópera*
operador	operator	*operéito*
ordenador	computer	*compiúte*
ordenador portátil	laptop	*láptop*
oreja/oído	ear	*ía*
oro	gold	*góuld*
orquesta	orchestra	*órkestra*
oscuro	dark	*dark*
ostra	oyster	*óiste*
otoño	autumm	*ótom*

paciente	pacient	*péishient*
padre	father	*fáade*
padres	parents	*pérents*
pagar	to pay	*tu péi*
paisaje	landscape	*lándskeip*
pajita	straw	*stróo*
palacio	palace	*pálas*
palco	box	*box*
pan	bread	*bred*
pantalla	screen	*skrin*
pantalones	trousers	*tráusers*
pañales	nappies	*nápis*
pañuelo	handkerchief	*jánkerchif*
papelería	stationer's	*stéishoners*
paquete	parcel/package	*párcel/pákech*
par	pair	*pée*
para	for	*fóo*
parada de autobús	bus stop	*bas stop*
parada de taxis	taxi rank	*táxi rank*
parar	to stop	*tu stop*
parlamento	parliament	*párliament*
parque	park	*park*
parque infantil	playground	*pléigraund*
pasado mañana	the day after tomorrow	*de déi áfte tumórou*
pasajero	passenger	*pásenche*
pasaporte	passport	*pásport*
pasear	to walk/to stroll	*tu uok/tu strol*
paseo en barco	boat cruise/trip	*bóut crus/trip*
paseo	walk	*uok*
pasillo	aisle	*áil*
paso a nivel	level crossing	*lével crósin*
paso de peatones	pedestrian crossing	*pedéstrian crósin*
paso subterráneo	subway	*sábwei*

pasta	pasta	pásta
pastelería	pastry	pástri
pastilla	pill/tablet	pil/táblet
patata	potato	potéito
patinar	to skate	tu skéit
patio	courtyard	córtyard
pavo	turkey	térki
peaje	toll	tol
peatón	pedestrian	pedéstrian
pedir (comida o bebida)	to order	tu órde
pedir (la cuenta)	to ask for	tu ask fóo
película	film	film
peligro	danger	déinye
pelota	ball	bol
peluquería	hairdresser's	jerdrésers
pemitir	to allow	tu aláu
pendientes	earrings	íerings
penique	penny	péni
pensar	to think	tu cink
pensión completa	full board	ful bord
pepino	cucumber	kiukámbe
pequeño	small	smól
pera	pear	pée
perder	to lose	to lúus
perdido	lost	lost
perdón	sorry/excuse me	sóri/exkiús mi
periodo	period	píriod
pero	but	bat
perro guía	guide dog	gáid dog
personal	staff	staf
pescadilla	whiting	uáitin
pescado	fish	fish
pescar	to fish	tu fish
picadura	bite/sting	báit/stín

picante	hot/spicy	*jot/spáisi*
piedra	stone	*stóun*
pierna	leg	*leg*
pijama	pyjamas	*piyámas*
pilas	batteries	*báteris*
piloto	pilot	*páilot*
pimienta	pepper	*pépa*
pinchazo	flat tyre	*flat táir*
pinchazo	puncture	*pánkche*
pinta	pint	*páint*
pintor	painter	*péinte*
pinzas (para ropa)	clothes pegs	*clóuzs pegs*
piscina	swimming pool/pool	*suímin pul*
piso	apartment/flat	*apártment/flat*
pista de aterrizaje	landing strip/	*lándin strip/*
	landing-line	*lándin láin*
plancha	iron	*áion*
planchar	to iron	*tu áion*
planta	floor	*flóo*
planta baja	ground floor	*gráund flóo*
plata	silver	*sílve*
platano	banana	*banána*
platillo	saucer	*sóse*
plato (comida)	dish	*dish*
plato (recipiente)	plate	*pléit*
plato principal	main course	*méin cors*
playa	beach/seaside	*bich/sísaid*
plaza	square	*skuée*
pocos	few/a few	*a fiú*
policía	police	*polís*
pollo	chicken	*chíken*
pomada	ointment	*óintment*
poner	tu put	*tu put*
popa	stern	*stern*
por avión	air mail	*ea méil*

¿por qué?	why?	*uái?*
porque	because	*bicós*
postal	postcard	*póustcard*
postre	dessert	*disért*
potito	baby food	*béibi fud*
precio	price	*práis*
prendas de punto	knitswear	*nítswer*
preparar	to prepare	*tu pripée*
preservativo	condom	*cóndom*
primavera	spring	*sprín*
primera planta	first floor	*ferst flóo*
primero	first	*ferst*
primeros auxilios	first aid	*ferst éid*
primo/a	cousin	*cásen*
proa	bow	*bóu*
probador	changing/fitting room	*chéinyin/fítin rum*
probar	to taste	*tu téist*
probarse	to try on	*tu trái on*
programa	programme	*prógram*
propina	tip	*tip*
próximo	next	*next*
puente	bridge	*brich*
puerro	leek	*líik*
puerta de embarque	boarding gate	*bórdin guéit*
puerta	door	*dóo*
puerto	port/harbour	*port/járbo*
puestos	stalls	*stóls*
pulgada	inch	*inch*
pulgar	thumb	*zam*
pulmón	lung	*lán*
pulpo	octopus	*óctopos*
pulsera	bracelet	*bréislet*
punto de encuentro	meeting point	*mítin póint*
puntos	stitches	*stíchis*

Q

¿qué?	what?	*uát?*
quemadura	burn	*bern*
quemar	to burn	*tu bern*
queso	cheese	*chíis*
¿quién?	who?	*ju?*
quiosco	newsagent	*niúseiyent*

R

ración	portion	*pórshon*
rampa	ramp	*ramp*
rápido	fast	*fast*
raqueta	racquet	*ráket*
reanimación	resucitation	*resusitéishon*
rebajas	sales	*séils*
recepción	reception	*resépshon*
recepcionista	recepcionist	*resépshonist*
receta	prescription	*preskrípshon*
recetar	to prescribe	*tu priskráib*
recibo	receipt	*risít*
recital	recital	*résital*
reclamación	claim	*kléim*
reclamar	to claim	*tu kléim*
recomendar	tu recommend	*tu ricoménd*
recorrido	tour	*tur*
regalo	gift	*gift*
regatear	to bargain	*to bárguen*
régimen	diet	*dáiet*
reina	queen	*kuín*
rellenar (un formulario)	to fill in	*tu fil in*
relleno	stuffed	*stáfd*
remar	to row	*tu róu*
remitente	sender	*sénde*
remolacha	beetroot	*bítrut*

reparar	to repair	*tu ripée*
reproductor de CD	CD player	*si di pléie*
reserva	reservation/ booking	*reservéishon/ búkin*
reservar	to book/tu make a reservation	*tu buk/tu méik a reservéihon*
resfriado	cold	*cóuld*
restaurante	restaurant	*réstorant*
retraso	delay	*diléi*
reunión	meeting	*mítin*
revisor	conductor	*condákto*
rey	king	*kin*
riesgo	risk	*risk*
riñón	kidney	*kídni*
río	river	*ríve*
robar	to steal/ to rob	*to stíil/ tu rob*
robo	theft/robbery	*zeft/ róberi*
rodilla	knee	*níi*
rojo	red	*red*
romper	to break	*tu bréik*
ron	rum	*rom*
ropa de cama	linen	*línen*
ropa	clothing/clothes	*clóuzs*
rosa	pink	*pink*
roto	broken	*bróuken*
rotonda	roundabout	*ráundabaut*
rueda	wheel	*uíil*
rueda de repuesto	spare wheel	*sper uíil*
ruido	noise	*nóis*
ruidoso	noisy	*nóisi*
ruta/trayecto	bus route	*bas rut*

■ s

sábado	saturday	*sáterdei*
sabroso	tasty	*téisti*

sacar dinero	to withdraw/to draw	tu wizdró/tu dro
saco de dormir	sleeping bag	slípin bag
sal	salt	solt
sala	room	rum
sala de espera	waiting room	uéitin rum
salado	salty	sólti
salchicha	sausage	sósech
saldo	balance	bálans
salero	salt cellar	solt séla
salidas	departures	dipárchers
salir	to go out	tu góu áut
salmón	salmon	sáamon
salón	living room	lívin rum
salsa	sauce	sos
salsa/jugo	gravy	gréivi
salteado	sautéed/stir-fried	sotéd/ster fráid
sandalias	sandals	sándals
sandía	water melon	uáta mélon
sangre	blood	blad
sarampión	measles	mísels
sardina	sardine	sárdin
secadora	spin drier	spin dráie
seda	silk	silk
segunda mano	second hand	sécond jand
segundo	second	sécond
seguro	insurance policy	inshórans pólisi
seguro médico	health insurance	jelz insóransh
sello	stamp	stamp
semaforo	traffic light	tráfik láit
semana santa	easter	íste
semana	week	uik
septiembre	september	septémbe
ser	to be	tu bi
seropositivo	hiv positive	éich ái vi pósitif
servicio de canguro	babysitting	béibisitin

servicio de habitaciones	room service	*rum sérvis*
servilleta	napkin	*nápkin*
servir	to serve	*tu serf*
si	if	*if*
sí	yes	*ies*
siglo	century	*sénturi*
silla	chair	*chée*
silla alta	high chair	*jái chée*
silla de ruedas	wheelchair	*uilchée*
sin	without	*uizáut*
sitios de interés	places of interest/ sites	*pléises of interest/sáits*
sobre	envelope	*énveloup*
sólo	only	*óunli*
solomillo	fillet steak	*fílet stéik*
sombrero	hat	*jat*
sopa	soup	*sup*
sorbete	sherbet	*shérbet*
soso	flavourless	*fléivorles*
spaguetis	spaghetti	*spaguéti*
suave	mild	*máild*
sudadera	sweatshirt	*suétshert*
suero	saline solution	*séilain solushon*
sujetador	bra	*bra*
supermercado/ hipermercado	supermarket	*súpermarket*

T

tabla de planchar	ironing board	*áionin bord*
tal vez	perhaps/maybe	*perjáps/méibi*
talla	size	*sáis*
talonario	chequebook	*chékbuk*
también	also	*ólsou*
tampones	tampons	*támpons*

Español	English	Pronunciación
tapones para los oídos	ear plugs	*íe plags*
taquilla	box office	*box ófis*
tarde (parte del día)	afternoon	*afternún*
tarde	late	*léit*
tarifa	charge/fee	*charch/fi*
tarjeta de crédito	credit card	*crédit card*
tarjeta de embarque	boarding card	*bórdin card*
tarjeta de memoria	memory card	*mémori card*
tarjeta telefónica	phonecard	*fóuncard*
tarjeta	card	*card*
taxi	taxi/cab	*cab*
taxímetro	meter	*míta*
taza	cup	*cap*
teclado	keyboard	*kíbord*
técnica	technique	*tekník*
telefonear	to phone/to make a phone call	*tu fóun/tu méik a fóun col*
teléfono	phone	*fóun*
teléfono móvil	mobile phone	*mováil fóun*
teléfono público	payphone	*péifoun*
telegrama	wire	*uáir*
televisor	tv set	*ti vi set*
telón	curtain	*kérten*
templado	warm	*worm*
temporada	season	*síson*
tendedero	clothes line	*clóuzs láin*
tenedor	fork	*fork*
tensión sanguínea	blood pressure	*blad présher*
tentempié	snack	*snák*
tercero	third	*zerd*
terminal	terminal	*términal*
terminar	to finish	*tu fínish*
termómetro	thermometer	*cermómite*
ternera	veal	*víil*

terraza	balcony	*bálconi*
test de alcoholemia	breath test	*brez tést*
test de embarazo	pregnancy test	*prégnansi test*
tetera	tea pot	*típot*
tícket de compra	receipt	*risít*
tienda de campaña	tent	*tent*
tienda	shop/store	*shop/stor*
timbre	bell	*bel*
timo/estafa	swindle	*súindel*
tintorería	dry cleaner's	*drái klíners*
tipo	type/kind	*táip/káind*
tirantes	suspenders	*saspénders*
tirar	to pull	*tu pul*
tirita	plaster	*pláste*
título	title	*táitel*
toalla	towel	*táuel*
toallitas limpiadoras	wipes	*uáips*
tomar la píldora	to be on the pill	*tu bi on de pil*
tomate	tomato	*toméito*
tónica	tonic water	*tónic uáta*
torcedura	sprain	*spréin*
toro	bull	*bul*
torre	tower	*táue*
tortícolis	stiff neck	*stíf nek*
tortilla	omelette	*ómelet*
tos	cough	*cof*
tostadas	toast	*tóust*
traer	to bring	*tu brin*
tráfico	traffic	*tráfic*
traje	suit	*sut*
trámites	procedure	*prosídiu*
tranquilizante	tranquilizer	*tránkuilaiser*
tranquilo	quiet	*cuáiet*
transbordador	ferry	*féri*
transferencia	order	*órdee*

tránsito	transit	*tránsit*
travesía	crossing	*crósin*
tren	train	*tréin*
trinchar	to carve	*tu carf*
tripulación	crew	*cru*
tubo de escape	exhaust pipe	*exóst páip*
túnel	tunnel	*tánel*

U

uci	icu	*éi si yu*
úlcera	ulcer	*álse*
último	last	*last*
unidad	unit	*iúnit*
uno	one	*uán*

V

vacaciones	holiday	*jólidei*
vacuna	vaccine/shot	*váksin/shot*
vagón	carriage	*cáriech*
vaqueros	jeans	*yins*
varicela	chicken pox	*chíken pox*
varios/as	several	*séveral*
vaso/copa	glass	*glas*
vegano	vegan	*vígan*
vegetariano	vegetarian	*veyetéirian*
vela	candle	*cándel*
velero	sailboat	*séilbout*
velocidad	speed	*spíid*
vena	vein	*véin*
venda	bandage	*béndech*
vender	to sell	*tu sel*
ventana/ventanilla	window	*úindou*
verano	summer	*sáme*
verde	green	*grin*
verduras	vegetables	*véyetabels*

vestíbulo	lobby	*lóbi*
vestido	dress	*dres*
veterinario	veterinary	*vétrenri*
viaje	trip/journey	*trip/yérni*
viajero	traveller	*trável e*
viajeros con discapacidad	disabled travellers	*díseibeld trávelers*
víctima	víctim	*víctim*
vida nocturna	night life	*náit laif*
viernes	friday	*fráidei*
vinagre	vinegar	*vínega*
vino	wine	*uáin*
visado	visa	*visa*
visita guiada	guided tour	*gáided tur*
visitar	to visit	*tu vísit*
vistas	views	*viús*
volante	steering wheel	*stírin uíil*
volar	to fly	*tu flái*
volver	to return	*tu ritérn*
vomitar	to vomit/to be sick	*tu vómit/tu bi sick*
vuelo	flight	*fláit*

W

| y/e | and | *and* |
| yate | yatch | *yat* |

Z

zanahoria	carrot	*cárot*
zapatos	shoes	*shúus*
zapatos de hombre	men's shoewear	*mens shúwee*
zapatos de mujer	women's shoewear	*wímens shúwee*
zapatos de tacón	high-heeled shoes	*jái jíild shus*